RAINHAS DA NOITE

CHICO FELITTI

Rainhas da noite

As travestis que tinham São Paulo a seus pés

COMPANHIA DAS LETRAS

Grafia atualizada segundo o Acordo Ortográfico da Língua Portuguesa de 1990, que entrou em vigor no Brasil em 2009.

Capa e caderno de fotos
Raul Loureiro

Foto de capa
Claudia Guimarães

Preparação
Antonio Castro

Pesquisa de texto
Otávio Bonfá

Revisão
Erika Nogueira Vieira
Paula Queiroz

Todos os esforços foram feitos para reconhecer os direitos autorais das imagens. A editora agradece qualquer informação relativa à autoria, titularidade e/ou outros dados, se comprometendo a incluí-los em edições futuras.

Dados Internacionais de Catalogação na Publicação (CIP)
(Câmara Brasileira do Livro, SP, Brasil)

Felitti, Chico
Rainhas da noite / Chico Felitti. — 1ª ed. — São Paulo: Companhia das Letras, 2022.

ISBN 978-65-5921-157-9

1. Identidade de gênero 2. Travestis - São Paulo (SP) - História I. Título.

22-127575 CDD-306.778098161

Índice para catálogo sistemático:
1. São Paulo : Cidade : Travestis : História 306.778098161
Cibele Maria Dias — Bibliotecária — CRB-8/9427

EDITORA SCHWARCZ S.A.
Rua Bandeira Paulista, 702, cj. 32
04532-002 — São Paulo — SP
Telefone: (11) 3707-3500
www.companhiadasletras.com.br
www.blogdacompanhia.com.br
facebook.com/companhiadasletras
instagram.com/companhiadasletras
twitter.com/cialetras

Em memória de Miss Biá, matrona de todas as transformistas, travestis e drag queens de São Paulo, e a primeira entrevistada deste livro. Ainda haverá um busto seu em praça pública, Biá.

Sumário

Prefácio

A história de Jacqueline Blábláblá, Andréa de Mayo e Cristiane Jordan é uma história oral. Não há fotos do bordel de luxo que Jacqueline comandou durante décadas em frente à igreja da Consolação, nem registros oficiais dos anos em que Cristiane foi vítima de pedofilia, obrigada a se prostituir quando não tinha sequer treze anos, tampouco inquéritos sobre os assassinatos que Andréa de Mayo declarava publicamente ter cometido. Também não existe rastro de qualquer documentação sobre a riqueza financeira e os feitos artísticos dessas três grandes personagens da noite paulistana.

Os poucos papéis que restam sobre a vida de Jacqueline, Andréa e Cristiane são boletins de ocorrência e processos por crimes como estelionato, notícias de prisão e de mortes publicadas na capa de tabloides, ou noticiadas timidamente por jornais. As três são vítimas do que hoje se chama violência arquival — o apagamento da história de pessoas que viveram às margens da sociedade, o que torna impossível contar a biografia delas com o mesmo embasamento factual que teriam a de empresários, esportistas e qualquer outra categoria de ser humano considerada mais "digna" de documentação.

O que ficou de fora do registro formal sobre as rainhas da noite e permanece apenas na lembrança de quem as conheceu são o terror, a riqueza e a generosidade dessas líderes. *Rainhas da noite* é uma teia de memórias de mais de cem entrevistados que passaram por esse universo. Os fatos, diálogos, as danças, roupas e perucas descritos neste livro são reais, e pertenceram a pessoas que habitaram o centro de São Paulo entre as décadas de 1970 e de 2010.

São travestis, transexuais, transformistas, drag queens, homens gays e mulheres lésbicas que, para proteger a própria comunidade, formaram uma máfia. Uma máfia que teve três rainhas, cada qual com seu território, sua maneira de governar, seus defeitos e suas qualidades.

Toda história tem muitos lados. Este é o delas.

Introdução

Numa madrugada paulistana de 1994, uma mulher de quase um metro e noventa de altura, somando sua estatura com a peruca black power, para em frente a uma portinha ao lado de um bar, no número 253 da rua Amaral Gurgel, que corre embaixo do Minhocão. Sobre a portinha, que leva a uma escada, um letreiro neon anuncia: PROHIBIDU'S.

O luminoso tinge de verde o rosto da mulher, que carrega cinco cicatrizes horizontais nos braços, que se sobrepõem, e seis redondas como asteriscos no peito, visíveis pelo decote — marcas de tiros que ela levou ao longo dos 47 anos de vida. É Cristiane Jordan, mais conhecida na rua como Cris Negão.

Atrás do caixa na entrada da boate, uma mulher com o cabelo ruivo preso num rabo de cavalo e a sombra da barba começando a se pronunciar no rosto, acaricia uma arma que fica ao lado dos maços de dinheiro. Andréa de Mayo é tão grande quanto Cristiane Jordan, tem coxas preenchidas por silicone que contrastam com os seios pequenos, um nariz cirurgicamente delicado e olhos profundos cobertos por cílios longos, que não precisam de rímel. Sua perna, estendida em uma segunda cadeira, está envolvida em uma gaiola metálica, que força os ossos a cicatrizarem no lugar certo, depois de terem sido destroçados por meia dúzia de tiros. Por cima da gaiola, ela veste uma calça vermelho-sangue feita pela mãe de Kaká di Polly, uma drag queen de 120 quilos que é uma das poucas pessoas que Andréa chama de amiga sem besuntar a palavra de cinismo.

São as duas rainhas do centro de São Paulo se encontrando. Elas já se cruzaram centenas de vezes, mas o ar sempre parece parar quando se aproximam. Elas trocam olhares por um segundo, até que Cris abre a boca.

"Tá boa, Andréa?" A resposta é só um balançar de cabeça, que termina em um coque de cabelo. Andréa então levanta o rosto: "Bonito cachorro", diz. Cachorro, na gíria das travestis do centro, é peruca. Cris agradece e entra sem pagar. É uma das poucas travestis que ganha entrada VIP na Prohibidu's.

Já são cinco da manhã, a hora do rush da boate. Atrás de Cris, entra Claudia Edson, recém-chegada da Europa e saída de um conversível que comprou só para desfilar por São Paulo no mês de férias que vai passar na cidade. Seguindo Claudia vem um técnico de elevadores da zona Leste que frequenta o centro às escondidas, e bebe da meia-noite às quatro para criar coragem de lidar com seu desejo por travestis. Depois entra Xepa Riso, uma decana da noite, que abandonou os concursos de beleza por achar que, aos cinquenta, estava velha demais. Na década de 1990, Xepa fez participações no *Praça da Alegria*, da TV Globo.

Assim que chega à pista, Cris cruza com Virna e Mirna, duas travestis loiras de cabelo comprido e saia curta que se apresentam como gêmeas, quando na verdade viraram amigas na adolescência e fizeram as exatas mesmas cirurgias plásticas para ficarem uma a imagem e a semelhança da outra.

Três filhas de Jacqueline Bláblábla estão dançando. Elas estão órfãs da primeira rainha da noite paulistana, que foi morta poucos meses antes, em maio de 1994, com dez disparos que ninguém sabe quem deu. Nenhuma delas tem ideia do que fazer da vida, agora que estão sem sua mãe de prostituição.

Cris passeia pela pista, acena, bebe dos drinks alheios e beija um homem vinte centímetros mais baixo que ela. Mas o que mais faz na Prohibidu's é passar papelotes com uma mão e receber notas com a outra. Enquanto isso, no palco, Marcinha da Corintho apresenta um dos seus famosos números de dublagem. Vestindo um costeiro de penas de faisão. Foi necessário o sacrifício de doze aves para reunir as penas que a morena de um metro e cinquenta balança nas costas, enquanto ondula o pequeno corpo ao som de um remix de "Dançando lambada", do Kaomo. Quando Marcinha se vira, seu rosto não está pintado, a não ser pelos lábios vermelhos e pelo lápis preto nos olhos. Ela sorri. Quase toda a pista de dança para, catatônica. Os que não estão de boca aberta estão usando a boca para fazer futrica de Marcinha, alimentados pela inveja da maior estrela da noite.

Menos de uma hora depois de entrar, Cris Negão desce a escada e sai sem se despedir de Andréa, voltando para a rua, onde reina, com a peruca um pouco mais alta. Colocou ali a paga das vendas que fez na boate. Maços de dinheiro que depois vai esconder em casa, em meio à centena de bichos de pelúcia que ocupa seu apartamento. Andréa continua contando notas no caixa da Prohibidu's, a boate que abriu porque dizia que era proibido ser viado em São Paulo. Depois que Cris passa, Andréa murmura uma frase que repetia muito: "Esse negão não vale nada".

E, pela primeira vez na noite, ela sorri.

1. Batizada com uma peruca fervendo

1974

É como se Deus não tivesse descansado no sétimo dia: criou o homem, a mulher e, um dia depois, Jacqueline. No momento em que ela surge no centro de São Paulo, no começo da década de 1970, é como se fosse uma criação divina. E não é só pela beleza que possui: olhos cor de mel sobre maçãs do rosto cheias de silicone, um sorriso alinhado e pouco frequente, coxas modeladas metade pela genética, metade por aplicações de Nujol, um óleo mineral cuja embalagem diz servir para limpeza de chão, mas que travestis usam para moldar o corpo. Os lábios são carnudos à custa de injeções que doem pouco quando a agulha entra, mas muito nos dois dias seguintes, quando a substância preenchedora esgarça a pele e pede licença aos músculos para ocupar o seu espaço.

Jacqueline não tem passado. É como se tivesse mesmo nascido de um corte seco, criada do barro pelas mãos de um ser superior.

É começo de 1974 quando desce de um avião da Varig, vindo de Paris, e levanta uma onda de sussurros no desembarque do aeroporto de Cumbica, em Guarulhos. Ela se destaca na multidão, com um metro e oitenta de altura somados a doze centímetros de salto espremidos em um vestido de tweed que parece costurado no seu corpo, além de uma estola de pele jogada sobre os ombros. No mar de murmúrios, ouve-se um "Será?", um "Mas é?" e um "Só pode". Há teorias sobre Jacqueline, nunca fatos. Ela chega ao Brasil com a peruca ruiva erguida e toca para o centro de São Paulo, de onde havia saído alguns anos antes.

Agrega ao mistério o fato de ela só ter um nome: Jacqueline. A alcunha única não é uma jogada genial de marketing. Pelo contrário, é a regra dos batismos de travestis e de mulheres trans no centro paulistano na década de 1970. Antes da chegada de Jacqueline, já havia algumas — Érica, Monalisa, Manon e um punhado de outras artistas sem sobrenome.

"Era chique ter um nome só. Foi tempos depois que a gente percebeu que não ter sobrenome é não ter família. E a maioria de nós, quase todas, não tinha. Porque nossas famílias não nos queriam", diz Lorenna Sun, que por quatro décadas se apresentou só como Lorenna.

Jacqueline chega da capital francesa montada em dinheiro e com uma dúzia de malas — além delas, carrega o peso de uma promessa. "Ela chegou dizendo que nunca mais ia para a viração", diz Kelly Cunha, uma das únicas a ostentar um sobrenome na São Paulo dos anos 1970. Viração é como as travestis da época se referem a um dos poucos trabalhos que lhes era possível: a prostituição. É *se virando* que elas conseguem fazer alguma coisa acontecer na vida. Ascender socialmente. Sobreviver.

Mas Jacqueline não iria mais se virar. A escolha, segundo Kelly Cunha, tem a ver com o fato de a prostituição ser um bom ativo para ganhos rápidos, que rendeu uma pequena fortuna a Jacqueline em poucos anos, mas um mau investimento a longo prazo. "Ela me disse: 'Vou ter meu próprio negócio. Assim, não dependo do tempo. Não jogo contra o tempo, porque tá aí uma disputa que já tem ganhador'", diz Kelly.

Dias depois de chegar ao Brasil, Jacqueline é vista em um cartório com dois homens. Um deles a interpreta. Utiliza o nome masculino que ela ganhou no batismo, e está assinando a compra de uma casa no centro. Jacqueline fez uso de um artifício simples, uma vez que ela mesma já não se identificava com o nome de registro e podia não ser reconhecida pela burocracia: contratou um ator, que já conhecia da noite paulistana, para se passar pelo nome que tinha no RG. Ele assina a certidão de compra e venda, aperta a mão do dono antigo e pronto, assim que saem do cartório, entrega para Jacqueline o documento que a torna proprietária de um sobrado de quatro quartos distribuídos por dois andares quase na esquina da rua da Consolação com a Rego Freitas, no número 512.

Nas semanas seguintes é ela mesma, de lenço de seda no cabelo, quem comanda um pequeno pelotão de pedreiros que transforma a casa, até então residencial, em um negócio. Não demora muito para a fofoca se alastrar pela região, e a porta de Jacqueline se tornar parte do caminho de outras travestis e transexuais, mesmo que para isso precisem pegar um desvio de meia hora. Ninguém sabia de onde a nova empresária tinha vindo. "O máximo que Jacqueline revelava é que tinha vindo sozinha da Paraíba, ainda gayzinho, para tentar a vida em São Paulo", diz Kelly Cunha.

Mas Kelly se lembra bem da história de Jacqueline. As duas trabalharam juntas no fim dos anos 1960 no De La Lastra, o salão de beleza mais famoso da cidade, na rua Augusta. Depois de anos cortando o cabelo de condessas da família Matarazzo e fazendo maquiagem para a matriarca dos Scarpa ir a coquetéis, Jacqueline mudou de salão. Foi para a concorrência, o Taluhama, na Augusta com a alameda Santos, a um quarteirão da avenida Paulista.

Depois de um ano no Taluhama, desapareceu. Voou para Paris, onde trabalhou com sexo por quase três anos até ser expulsa do Bois de Boulogne, o parque na fronteira oeste da cidade que é um ponto de prostituição há pelo menos dois séculos.

A ruptura de Jacqueline com Paris é assunto proibido. Ela compôs uma das primeiras levas de travestis e mulheres trans brasileiras que cruzaram o oceano em busca de oportunidade no velho continente, no fim dos anos 1960. Elas viajavam se fingindo de homens cis, com cartas de falsos parentes que moravam na Europa, onde, diziam, iam passar temporadas de estudo.

Jacqueline se prostituiu ao lado de figuras conhecidas da noite paulistana, como Diva de Pigalle e Erika, outra brasileira que só com um prenome fez fortuna na Europa. Embora Jacqueline tenha voltado com dinheiro, ela chegou ao Brasil contradita — alguma coisa deu muito errado na França, e ela foi obrigada voltar antes do esperado. "Dizem que ela brigou com a Erika no Bois de Bolougne e foi expulsa aos tapas", conta Kelly Cunha. "Também circula a história de que um cliente tentou encrencar com ela, mas ela encrencou o dobro e acabou matando o francês", diz Lorenna Sun. Independente do motivo, Jacqueline não demora para mostrar que plano tem para o futuro no Brasil: vai construir um salão de beleza para as bonitas. As bonitas são as pessoas como ela, que vivem de vender a beleza na rua.

MONA

Algumas semanas depois, com um vestido branco de babados e uma bolsa de palha trançada, Jacqueline vai ao salão Taluhama como uma cliente. Alguém se oferece para cortar seu cabelo loiro, sem se dar conta de que é uma peruca precisando de um pente. Ela agradece, na sua voz grave e baixa, e pede para falar com Irene. Poucos minutos depois, a dona do salão, uma vedete de teatro de revista aposentada, surge. Irene é uma mulher cisgênero cercada de LGBTS, e seus cinquenta anos não lhe tiraram a beleza com que ganhou a vida. É pequena, de pele morena e cabelo preto e brilhante, que usa solto e sempre escovado, como outdoor do próprio trabalho.

A mulher parece constrangida ao não reconhecer a cliente que a chamou, e dá um abraço protocolar em Jacqueline. Até que a visita sussurra, no ouvido de Irene, o nome que usava quando trabalhava no salão, alterando o tom de voz e a linguagem corporal da mulher na hora.

"Mas é você!", responde com um sotaque espanhol.

O abraço formal desabrocha em um apertado, qualquer distância que havia entre o corpo de uma e o da outra desaparece. Irene convida Jacqueline para se sentar nas poltronas do lobby e tomar um chá. A copeira ainda está montando a bandeja e Jacqueline já revela por que está ali:

"Vou abrir um salão", ela diz.

Irene a encara, silenciosa. Se tomou um susto, não demonstra.

Jacqueline continua, no seu tom grave: "Eu não quero seus clientes. Tem clientela no centro".

Irene ri, educada. "E o que você quer, então?"

"Vim pedir a Lourdes. Quero que trabalhe comigo."

Irene para de sorrir por um segundo. Ninguém diz coisa alguma. Lourdes Dias é uma das melhores profissionais do salão, onde já vai completar dez anos de carteira assinada. É uma das poucas capazes de assumir todos os serviços do Taluhama: faz unha e escova como ninguém um cabelo em camadas — que dali a alguns anos ganharia o nome de penteado pigmaleão, e teria como garota-propaganda a atriz Farrah Fawcett. Roubar uma funcionária é crime passível de punição com ódio eterno no negócio da beleza. Mas Jacqueline não está lá para roubar, foi pedir a autorização de Irene, como se pedisse a mão de um filho dela em casamento. O silêncio de alguns segundos chega ao fim. Irene volta a sorrir, e responde. "Não é para mim que você pede. É para ela."

O que a frase de Irene não revela é que quem trabalha naquele salão tem um benefício que carteira assinada nenhuma é capaz de prover: uma chefe que defende sua equipe. Irene já ajudou Lourdes a comprar uma casa na periferia. E já auxiliou outras funcionárias — travestis, transformistas e mulheres trans — com algo maior. Quem trabalha em um salão de beleza de renome, como o Taluhama, tem um álibi para poder existir sem ser presa por ser quem é. Naquela São Paulo, por mais que não fosse condenável na teoria ou no código penal, na prática, ser pessoa T era, sim, um crime.

Miss Biá, uma das decanas da montação paulistana, conta ter sido apreendida ao menos uma dúzia de vezes no começo dos anos 1970. "A gente assinava vagabundagem. Eu estava andando na rua, a polícia parava. Eu, por existir, era uma vagabunda." Biá levou por décadas uma vida dupla: durante o dia, mantinha o apelido, não à toa de dois gêneros, mas engrossava a voz para falar na metalúrgica onde trabalhava ou na mesa de jantar da casa em que morava com a família, que desconhecia o fato de ser uma transformista.

Mesmo as mais antigas da noite, como ela, acabam sendo pegas pela polícia, por mais que já tenham certo renome e acreditem que conhecem as regras. "O problema é que a regra mudava o tempo todo. A gente achava que podia sair de maquiagem, mas de roupa de hominho e sem peruca. Mas teve uma vez que, mesmo com a peruca na mão e de terno me levaram, acredita? De terno, maquiada, pronta para o show, na delegacia." A transfobia, que dali a algumas décadas se conflagraria numa guerra declarada contra as travestis do centro, não é uma regra fixa nos anos 1970, varia de acordo com os preconceitos dos policiais e dos delegados. Mas, de todo modo, nos anos de ascensão de Jacqueline existe ainda um pudor de se prostituir na rua. "Não havia violência física. Era só a humilhação. *Só* não, né, porque humilhação é uma coisa horrível. A gente andava com medo pelo centro", diz Biá.

Travestis e transformistas são apreendidas com tanta frequência que uma das delegacias para onde são mais levadas, uma unidade da Polícia Civil que funcionava num prédio do Ministério da Justiça, no Pateo do Collegio, ganhou o apelido de Sala de Estar. Kelly Cunha conhece o caminho e as quatro celas do lugar de cor. "Naquela época, não era bicha se não tinha passado pelo Pateo do Collegio. Eu mesma passei mais vezes do que consigo contar."

É aí que entra Irene Taluhama. Sempre que o telefone toca, e alguém do outro lado da linha informa que uma das suas funcionárias foi apreendida, Irene levanta da cama, bota o casaco de pele e prende o fecho do colar de pérolas. Com a roupa de gala, entra na delegacia. "Ela já chegava cumprimentando os policiais pelo nome e dizendo: 'Elas, digo, *eles* são meus funcionários'", conta Kelly. Muitas vezes, Irene livra da cana travestis e mulheres trans que não trabalham no salão. Não é à toa que suas funcionárias têm por ela uma gratidão infinita.

E, no momento, Jacqueline quer tudo, menos se indispor com a antiga chefe. Ela termina o chá e agradece. As duas se abraçam, e uma pessoa que olha de fora confunde a cena com uma mãe vedete parabenizando a filha pela vitória em algum concurso. Jacqueline leva Lourdes, uma mulher rechonchuda com menos de um metro e meio, o cabelo preto sempre escondido debaixo de uma touca de salão de beleza, para tomar um café numa doceria nos Jardins, a poucos quarteirões dali. E, para o choque dos funcionários do Taluhama, ela pede demissão assim que volta. Lourdes só diz: "Vou trabalhar no centro. No salão mais chique do centro". O que ela não comenta é que Jacqueline dobrou seu salário.

Duas semanas depois, ainda sem uma placa na porta, Lourdes e Jacqueline já estão atendendo. Tudo brilha de tão novo no andar de baixo da casa, transformado em um salão de beleza de médio porte. Francos franceses se transformaram em três lavatórios profissionais, duas cadeiras de manicure, dois metros de bancada de granito em cada lado da sala e um secador maior que Lourdes, menor que Jacqueline. O salão Jacqueline's está pronto para receber suas clientes, mas não decola.

Por dias, o lugar fica às moscas. Há um furo no plano de marketing: o salão existe, com todos os equipamentos necessários, mas seu público não sabe que pode pisar ali. Porque, assim como a maior parte das boates, dos restaurantes, dos órgãos públicos e dos cinemas, os salões de beleza não atendem a travestis e transexuais. São pessoas acostumadas a realizar os procedimentos estéticos em casa, uma ajudando a outra a fazer cachos no cabelo, tirar as cutículas e se livrar de pelos indesejados.

Então Jacqueline adota uma campanha de guerrilha para comunicar o novo negócio. Na segunda semana de funcionamento, manda imprimir centenas de panfletos com o logo JACQUELINE'S e uma frase simples: BELEZA PARA TRAVESTIS: MANICURE, CABELEIREIRA E MAQUIADORA. Ela e Lourdes cruzam o centro a pé distribuindo os panfletos. Em 1974, aquela ainda é uma região mais ou menos nobre da cidade — já deixava de ser um bairro de "família", mas preserva uma aura de respeito. O censo da época mostra que a maioria dos moradores é composta de famílias de classe média. A prostituição ainda é um mercado oculto, que se esconde a portas fechadas.

A dupla de cabeleireiras passa a noite distribuindo a propaganda, indo de hotéis uma estrela e a pensões que, na verdade, são prostíbulos. Percorrem toda a parte de baixo do viaduto Costa e

Silva, que acabara de ser construído e anos depois seria renomeado para homenagear outro presidente, João Goulart, que ocupava o cargo quando o Brasil sofreu um golpe militar. Independente dos nomes oficiais, a faixa de concreto de três quilômetros e meio sempre foi conhecida como Minhocão. Trezentas filipetas são distribuídas em uma noite.

E o resultado é instantâneo, com clientes entrando, impressionadas. "Era um mundo de cheiros. O cheiro de plástico, de perfume francês, de metal, de carpete novo, de cigarro. Era tudo muito forte. Era o cheiro de novidade, acho", lembra Lorenna Sun.

Lourdes começa a conviver com a nova clientela, de quem ganha um novo nome. "Mona, dá um jeito na Pomposa?", pede uma, que assim apelidou seu cabelo crespo. "Esmalte rosinha, não, mona! Tem que ser esmalte vermelhão. Esmalte rosinha esses homens já têm em casa. As mulheres deles são esmalte rosinha", diz Suzette. Outras só passam na porta e gritam, em tom de bom-dia: "Mona!".

Acostumada à clientela de madames dos Jardins, Lourdes demora dias para entender que mona não é um nome. É sinônimo de bicha, usado entre as travestis para se referir umas às outras. Todas são monas. Mas Lourdes gosta tanto da palavra que a adota com paixão. Quando as clientes entram, ela as recebe com gritos de: "Tá linda, mona!". Quando alguém já está com o cabelo coberto por papel-alumínio há tempo demais, grita: "Vamos tirar isso, mona! Ou seu cabelo vai virar piaçava". Mona se torna a palavra mais usada por Lourdes, e as travestis acham graça. Riem. Entre um café no copo plástico e uma fofoca na cadeira, elas começam a chamar Lourdes, que é mulher cisgênero, de Mona, e a alcunha se torna cada vez mais popular.

Os negócios vão muito bem, mas só para quem vê de fora. Dezenas de trabalhadoras da noite batem ponto no salão de Jacqueline antes de ir para a rua. Não têm noção dos preços, porque não têm noção do dinheiro como um todo. Pagam com notas amarfanhadas. Só que quase ninguém paga no ato do serviço, o que torna o salão um sucesso de público, mas não de caixa. "Todo mundo prometia que, se ficasse bonita, ia ter uma noite boa, e assim poderia pagar. Mas as noites boas eram raras, e poucas voltavam no dia seguinte com o dinheiro", lembra Kelly.

"ESSA BICHA É MUDA?"

Enquanto se estabelece como empresária, a vida de Jacqueline se resume a trabalho. Do momento em que acorda ao que vai dormir, se ocupa de cutículas, de pontas duplas, de pinças e de pincéis. Não bebe, não vai a boates e só é vista com homens depois da meia-noite, da porta de casa para dentro. Sua vida é o salão, com a exceção de um único hobby: Jacqueline começa a participar de concursos de miss.

Os concursos são produções caseiras organizadas pelas próprias travestis para competir por títulos como Miss Bonequinha do Café, Miss Gay Mundo, Miss Travesti São Paulo e afins. Tais eventos são uma tradição nos anos 1970, quando há poucas boates LGBTs em São Paulo, e a maioria não aceita travestis, pessoas trans e transformistas.

Xepa Riso, a organizadora do concurso Miss Gay São Paulo, fica em choque quando Jacqueline cruza a porta do teatro das Nações, a poucos quarteirões do salão. Ela é diferente das outras competidoras, já que vem de lenço na cabeça, óculos escuros redondos que extrapolam os limites do rosto e um emaranhado de pelos na mão. É uma peruca boa, mas em estado deplorável, à mão. As outras participantes, que já estão se arrumando, identificam a novata como tubarões farejam uma gota de sangue a quilômetros de distância. "Essa é a dona do salão de beleza?", diz uma, a boca pintada de batom e de sarcasmo. As outras riem da ironia. "Em casa de ferreiro, o espeto é de pau mesmo", brincam. O grupo de competidoras está espalhado pelas mesas da plateia, se maquiando, fazendo um ajuste de última hora na roupa e treinando a cadência do desfile, que começa dali a uma hora.

Kelly Cunha se levanta da mesa onde está e se apresenta para Jacqueline. "Oi, eu sou a Kelly. A gente trabalhou juntas quando você... Quando você ainda não era você." Jacqueline abaixa os óculos e a encara, sem sorrir ou responder. Kelly, então, oferece seus préstimos à rival: "Posso te ajudar com a peruca?". As outras meninas teriam perguntado se podiam "dar um tapa no cachorro", mas Kelly é conhecida pela elegância. Ela pega com cuidado o bololô de cabelo natural e o leva para a cozinha do teatro, atrás do palco. "Peguei uns rolinhos que tinha, levei a Jacqueline para a cozinha do salão, botei a peruca um pouquinho no forno e disse para ela: 'Vou te deixar parecida com a Raquel Welch'", conta Kelly.

Raquel Welch é uma das estrelas da época. Americana de origem boliviana, deslumbrante, de cabelo entre o castanho-claro e o loiro escuro, Raquel ficou famosa por um filme em que tinha três falas: *Mil séculos antes de Cristo*, que estreou em 1966. No filme, Welch interpreta uma mulher das cavernas que usa um biquíni de pele, e a peça é considerada tão ofensiva quanto revolucionária, fazendo dela uma estrela de calibre global. Ao contrário de Jacqueline, Raquel não é alta, com menos de um metro e setenta, mas parece maior na tela. Elas partilham de um corpo amplo, com ombros e quadril largos. Mas a semelhança é tão pouca que a própria Jacqueline não acredita na promessa de Kelly. "Ela só me olhava com aquela cara de jaguatirica. Desconfiada, pronta para dar o bote", diz Kelly.

Enquanto espera a peruca secar no forno, Jacqueline se senta na mesa da cozinha e mostra seu cabelo natural, ralo, que não deixa ninguém ver, de um tom castanho indefinido. Uma das lendas que surgem já no primeiro ano dela em São Paulo é de que Jacqueline não tem uma cor de cabelo, tem todas. Se hoje aparece loira na boate Medieval, fumando um cigarro com piteira de prata, amanhã pode estar morena, de cabelo liso que, se não estiver preso em um coque, chega até a cintura. No dia seguinte, estará de chanel ruivo jantando no Circolo Italiano. "Ninguém via o cabelo de verdade dela. A gente brincava que debaixo do cachorro havia cobras, que nem a medusa", diz Lorenna Sun. Mas Jacqueline é mais conhecida pela quantidade de perucas do que por sua qualidade. Ela não cuida das peças com o mesmo zelo que outras artistas, como Kelly.

Até porque Kelly não usa peruca. Seu cabelo meticulosamente arrumado é natural. Assim como a boca em formato de coração e um rosto fino de olhar felino. "Nunca precisei usar peruca. Sempre fui confundida com menina, desde criança." Não é apenas o cabelo que as difere. A trajetória de Kelly no meio artístico é única. Cresceu na Vila Leopoldina, na época em que o bairro vizinho da Lapa era de classe média. "Era tudo várzea, a gente brincava no brejo do rio Tietê." Kelly, diferente da maioria das outras, tem família e classe.

Kelly Cunha caminha pela alta sociedade paulistana, um círculo fechado para quase todas as travestis, dotada de seu cabelo natural, loiro, armado numa cascata de cachos, ou rente ao rosto. Bate ponto no Fanfarrão, um misto de restaurante e boate na avenida Faria Lima. "O Fanfarrão era *the best*, um luxo", conta. O lugar é frequentado pela editora de moda da *Vogue*, Regina Guerreiro, pela modelo Christine Yufon e pelo playboy Chiquinho Scarpa. Kelly é amiga do dono, Gilberto Pacheco, a ponto de frequentar sua mansão no Jardim Europa, o bairro de metro quadrado mais caro da cidade, e aprender dicas de etiqueta com a mãe dele, a socialite Judith Pacheco.

Kelly tem acesso a festas com cenas memoráveis, como o jantar em que o jovem estilista Clodovil Hernandez se vestiu de espanhola — um vestido de cor bege com um apanhado de rosas vermelhas no fim do decote das costas, cabelo repartido ao meio com gel e um coque no topo da cabeça. "Ele fazia Maria Dolores Bradero e declamava versos do García Lorca, era uma coisa linda", lembra Kelly. Ela é uma atriz em ascensão. Em 1974, está em temporada com a peça *Nossa banda é um barato*, ao lado de Darlene Glória, uma das maiores atrizes do país. E atua também ao lado de um jovem talento, um garoto promissor de nome Antonio Fagundes.

Mas também há um lado da vida de Kelly mais próximo às travestis, já que compete em concursos de miss. Foi a primeira Miss Gay São Paulo, em 1970. Com o cabelo loiro farto, olhos grandes e estatura pequena, é comparada a Rogéria, a travesti mais famosa do Brasil na época, outra exceção da comunidade, que é aceita pela alta sociedade. "No começo, queriam pôr a gente para brigar, criar uma disputa. Mas nunca teve disso. Nós éramos irmãs", conta Kelly. Quando conhece Jacqueline, está com 28 anos. Nasceu em 1946, e desconfia que tenha a mesma idade que a misteriosa dona de salão de beleza do centro, que não diz quando nasceu nem para o travesseiro.

Jacqueline já está impaciente batendo com o salto no ladrilho da cozinha, quando Kelly abre o forno e tira de lá a peruca, agora transformada em um penteado de estrela. O cabelo está brilhante, volumoso, hidratado. Jacqueline o veste ainda quente, e desfila com o penteado de Raquel Welch e um vestido de lamê prateado. Vence o concurso.

Quando Xepa Riso anuncia a Miss São Paulo 1974, Jacqueline ganha o título já com um novo nome. O nome que adotaria para o resto da vida. Com sua voz alta e anasalada, Xepa Riso diz no palco: "E a Miss São Paulo Gay 1974 é... Jacqueline Welch".

O sobrenome emprestado da atriz norte-americana pega logo no primeiro dia, mas é ali que Jacqueline ganha também um apelido. Depois de ficar em silêncio nos bastidores por mais de duas horas, fumando um cigarro atrás do outro, uma das concorrentes pergunta sobre ela, em voz alta: "Essa bicha é muda?". Uma gaiata diz que é um blá-blá-blá dos infernos saindo da boca dela. E, logo, nasce o apelido irônico. Jacqueline, na boca das ruas, se torna Jacqueline Bláblábla.

Por mais que volte ao salão como uma rainha coroada, Jacqueline Welch — ou Bláblábla —, tem de lidar com questões plebeias como calotes em série. Sexta-feira é o pior dia para as finanças, porque é quando grande parte das prostitutas paga os cafetões. E é muito dinheiro, pois, além de protegê-las, são eles que providenciam quartos de hotel para elas morarem e fazerem os atendimentos. Muitas vezes, são esses homens que também fazem o meio de campo entre os clientes e as profissionais, que ficam encasteladas no hotel. Em uma época de repressão policial e social, há pouca gente que se aventure a trabalhar na rua.

A inadimplência é quase maior do que a receita. O salão não chega a ficar no vermelho, mas o lucro do fim do mês é baixo. Jacqueline sabe que deveria estar ganhando muito mais, mas nunca toca no assunto. Na única vez em que comenta algo do tipo com Mona, diz: "Bicha é difícil. Bicha é sempre difícil", e sai balançando a cabeça. E há uma que é mais difícil do que a média.

Já é a quinta sexta-feira que Zuleika passa no salão, faz o serviço completo e promete voltar para pagar. Mona diz que não pode mais aceitar fiado, ao que a cliente rebate: "Se não consigo cliente é porque não tô bonita. E se não tô bonita, é porque você não tá fazendo seu trabalho", depois se levanta e vai embora, sem pagar. Ela cruza a porta com o cabelo ondulado e as unhas cheirando a esmalte, e Mona começa a chorar.

Jacqueline assiste à cena sem dizer uma palavra, até que sai correndo do salão montada em seu salto doze, atravessa a rua e desce meia dúzia de passos, encontrando a caloteira embaixo de um poste. Ela cutuca a cliente no ombro e diz:

"Se o cliente não goza, ou diz que não foi gostoso, você deixa ele ir embora sem pagar?"

"Comigo não tem essa de não gozar gostoso. Isso aí é com você."

Jacqueline bufa e se aproxima lentamente de Zuleika, sem tirar os olhos dela. A outra não para de falar: "E tem essa de não gozar porque você é velha. Porque parece homem". Zuleika é uma loira mais alta que Jacqueline, com seios enormes cheios de óleo mineral Nujol, que também preenche seus lábios, suas coxas e escorre para as panturrilhas. Jacqueline chega a um palmo de Zuleika, que continua falando, e responde com um movimento. A mão voa até o cabelo da inimiga, e segura um punhado de mechas com dedos longos e finos, que ela lamenta não terem encontrado um piano na infância. A mulher fecha a boca.

Jacqueline traz a cabeça da inimiga até perto da boca. "Você não vai se virar enquanto não me pagar", ela diz, a voz grave e baixa. A mulher balbucia um xingamento e tenta, sem sucesso, se soltar, mas é levada pelo cabelo até o pé da bancada do salão, onde ficam as ferramentas de cabeleireira de Jacqueline. Com a mão livre, ela pega uma tesoura. Vai cortando mecha por mecha da agora ex-cliente, que chora e soluça a ponto de não conseguir completar a palavra "Não", que repete pela metade várias vezes. Quando Jacqueline termina, o cabelo que fazia uma ponte entre a sua mão e o escalpo da mulher já pende livre. Zuleika cai no chão, aos prantos.

Jacqueline dá as costas e entra na casa. Em uma das mãos,

aperta uma tesoura com a força que a adrenalina lhe dera. Na outra, traz um troféu mais leve do que uma medalha de ouro: mechas de cabelo natural, que vai mandar Mona vender para uma conhecida que faz perucas na ladeira Porto Geral, na região da rua 25 de Março, e assim pagar parte daquele desfalque. Mona, que estava chorando até cinco minutos antes, arregala os olhos e ajuda Zuleika a se levantar e a partir.

Nas semanas seguintes, o salão de Jacqueline vira alguma coisa próxima a um departamento de recursos humanos. Ela não pretende contratar mais nenhuma cabeleireira, até porque, com a ajuda de Mona, dá conta do serviço, e uma folha de pagamento com uma única funcionária já quase deixa prejuízo. O que está acontecendo ali é a abertura de um novo negócio. Uma empreitada que vai funcionar nos quatro quartos vagos do segundo andar da casa.

Nesse momento, Jacqueline está deixando para trás parte da sua promessa. Ela não se viraria, mas se deu conta de que precisaria do dinheiro da viração para sustentar o salão. E, para ter esse dinheiro, era preciso alguém que organizasse a vida das profissionais — ela seria a empresária das prostitutas. O modelo de negócios não é novidade nenhuma, e é provável que a própria Jacqueline tenha sido cafetinada antes de ir para Paris. Na tradição da época, a relação ganha a roupagem de laços de família, as prostitutas chamam a cafetina de "mãe" e, logo, são suas "filhas".

As entrevistas de emprego no salão são menos formais do que numa empresa. Jacqueline assunta as clientes, verifica quem está descontente com o atual cafetão e analisa quem gostaria de ter na equipe, levando em conta diversidade de perfis e ausência de vícios, já que tem pavor de drogas. Antes do fim de 1974, tem três profissionais sob seu comando — ou três filhas cooptadas:

Joconda, uma morena alta, do tamanho de Jacqueline, que precisou fugir de Mato Grosso antes que o pai — um fazendeiro que havia sequestrado a mãe dela de uma aldeia indígena — cumprisse a promessa de matá-la, quando descobriu que, aos doze anos, ela ia para o mato com peões da fazenda.

Beth Carioca, uma loira com um sotaque de Xuxa, quinze anos antes de Xuxa estrear na TV, e seios do tamanho de taças de champanhe, com uma aparência que Jacqueline considera natural. "Mas você é mais mulher que muita mulher", diz a chefa quando fecha negócio com Beth.

Rosinha, uma gaúcha diminuta de cabelo liso natural que cultiva desde a infância, e que se orgulha de nunca ter cortado, o que horroriza Mona nos primeiros dias. Sempre que Rosinha desce do quarto para a rua, a cabeleireira brinca: "Vem que eu vou fazer com você o que a Jacqueline deveria ter feito", e sacudia uma tesoura no ar. Rosinha só ri e joga o cabelo para trás.

Jacqueline dá casa, comida e roupa lavada para as filhas, e, em troca, fica com metade dos rendimentos de cada uma. Não há contrato nem carteira assinada, mas uma coisa maior, a proteção de uma mãe — uma travesti com dinheiro e poder, que, por metade do lucro, pode tornar a vida um pouco menos difícil.

A rotina de trabalho delas é espartana. Todas têm a manhã para dar conta das tarefas do dia: ir ao banco, depositar dinheiro para a família, encontrar uma amiga para um almoço com cerveja ao meio-dia e voltar para casa pontualmente às duas da tarde, para começar a trabalhar às quatro, já maquiadas e de cabelo feito.

Assim, o ano de 1975 tem início com um segundo negócio funcionando no sobrado da Rego Freitas, um bordel que seria apelidado de Palácio de Jacqueline Bláblábla, e que duraria quase duas décadas. A partir do primeiro ano de funcionamento, o salão de Jacqueline vira uma máquina de fazer dinheiro. Tanto o negócio oficial, que fica no salão da frente, como o bordel, que funciona da escada para cima.

Jacqueline é a dona, a gerente e a diretora de marketing. Ela cumprimenta os clientes com dois beijos. Depois os leva pela mão para dentro do corredor e, com a voz baixa, os apresenta às filhas. O ambiente é elegante, a não ser pela objetividade de Jacqueline ao apresentar os predicados das monas. Uma cena comum nos primeiros anos é Jacqueline olhar para o cliente, depois de mostrar uma das filhas, e perguntar "Ela é lindíssima, não?". Em seguida, emenda a frase "E, olha...", e levanta as mãos no ar, deixando uma palma voltada para a outra, com a distância de um antebraço entre elas. Jacqueline é uma mulher de negócios, sabe vender.

O SINO E A BANHEIRA DE CHAMPANHE

Um ano depois de expandir os empreendimentos no centro, Jacqueline já é uma das pessoas mais poderosas da região. Carros param no começo da descida sutil que é a Rego Freitas. Homens casados abaixam a aba do chapéu até passarem da soleira da casa. Somem ali dentro para reaparecer horas depois, com menos dinheiro na carteira, mas um sorriso no rosto.

O dinheiro novo se faz ver na decoração do Palácio de Jacqueline Blábláblá. Em pouco tempo, o imóvel pelado para o qual ela se mudou em 1974 vira um cabaré de luxo. "O quarto dela parecia uma tenda árabe, com pilastras e panos, tapetes pendurados. A cama era enorme, um exército poderia dormir ali. E ao redor tinha um dossel Luís XV. Uma coisa meio sultão das Arábias", lembra Kelly Cunha. A peça mais notável de decoração do Palácio Blábláblá, entretanto, não fica no quarto. É a porta de vidro jateado que Jacqueline comprou em um antiquário e mandou instalar entre a rua e o sobrado. "Quem entra pela porta de cristal já sabe que aqui é um mundo mágico", ela explica às visitas.

Em 14 de novembro de 1975, Jacqueline comemora seu aniversário, de ninguém sabe quantos anos, no palácio. Entre os convidados, Kelly, suas filhas e os clientes mais próximos — que pagam para fazer parte da festa, por mais que tenham sido convidados. Na sala íntima, no segundo andar, há um bolo branco de três andares, coberto de flores azuis feitas de pasta americana. Alguém brinca que parece mais um bolo de casamento do que de aniversário. Jacqueline exala a fumaça que estava no pulmão e responde, quase sem voz: "Antes morta do que casada".

Ela corta o bolo com uma faca de prata e distribui os pedaços. O primeiro é reservado à amiga Kelly, que chora. "Fiquei um pouco emocionada", diz ela. Depois do parabéns, a festa toma um rumo pouco convencional. Jacqueline tira a roupa, suas filhas a imitam, os homens também e todos vão para o banheiro da suíte principal. Quando chegam, uma empregada está terminando de virar uma garrafa verde-esmeralda na banheira de Jacqueline, que está cheia de champanhe da melhor qualidade. "Champanhe francesa mesmo, tá?", frisa Kelly. "Não essa cidra de Itu que as bichas chamam de champanhe."

As filhas trabalham ao redor de Jacqueline. Já ela está ali por puro prazer, com um homem forte, de cabelo despenteado e sorriso que brilha no meio da barba espessa. "Um bofe lindo. Um moreno de olhos verdes, desses que só aparecem na tela do cinema", lembra Kelly. Jacqueline entra na banheira efervescente com o namorado da noite. Da próxima vez, estaria com um loiro. Depois, com um halterofilista de bigode. Dali a um mês, com um negociante turco com o corpo todo coberto por pelos. "A Jacqueline não era de repetir prato. Cada vez estava com um bofe pegue-e-pague. Acho que ela deixou alguma coisa para trás na Europa. Deixou de acreditar no amor", conta Kelly.

Em dado momento da festa, alguém ouve um barulho alto vindo da rua. Batidas metálicas constantes. Um dos homens sai da banheira de champanhe e, ainda ensopado, tenta vestir o terno. Jacqueline vê a cena aos risos. O barulho não é da polícia, como ele pensa. A janela da suíte dá para a igreja da Consolação, que anuncia as seis horas da manhã com meia dúzia de badalos. Uma melodia que Jacqueline ouve todos os dias da sua cama, e que vem lembrar quem está ali dentro qual é a religião que reina no Brasil.

Enquanto a dona do salão da Rego Freitas comemora o início do seu reinado em uma banheira cheia de homem e champanhe, o ovo de duas outras histórias do centro começa a ser chocado ali perto.

2. Uma guerra por Liza Minnelli
1976

O portão de madeira escura com ferrolhos de metal, como o de um castelo, se abre.

Jacqueline Bláblábiá é a primeira a entrar. Está à frente, com quatro filhas — Beth Carioca, Joconda, Rosinha e Tiana —, divididas ao seu lado, duas à esquerda e duas à direita. Jacqueline está dois passos à frente, criando um V que lembra uma revoada de pássaros migrando para o afluente bairro dos Jardins. É uma das raras viagens do clã Bláblábiá para longe do centro. E um dos poucos momentos em que não saem para fechar negócio. Elas vão para a boate Medieval para beber, se divertir e, acima de tudo, conhecer um novo mundo, onde travestis trabalham com arte, não com sexo.

O grupo entra na Medieval, uma mistura de restaurante com casa de show de travestis, a menos de uma quadra da avenida Paulista. Inaugurada quase cinco anos antes, em 19 de agosto de 1971, com uma proposta de dancing bar que revolucionou a cidade, a boate era a nova moda da elite paulistana, e apostava em shows de travestis, de mulheres trans e de drag queens pela primeira vez — um feito inédito entre as casas de luxo de São Paulo. Mas a comunidade T está só no palco, cantando, dançando e dublando, em espetáculos musicais que imitam a Broadway e que exigem meses de ensaios para ficarem prontos. As travestis estão lá para servir diversão à elite liberal da época. Quando Jacqueline passa da porta, naquela noite do inverno de 1976, o lugar está no auge.

A Medieval, vista por dentro, é do tamanho de um navio. Foi construída em cima do esqueleto de um restaurante que faliu no bairro rico, mas uma reforma deu ao imóvel uma nova carne, com um palco de oito metros no fundo do salão para atender a um nicho de mercado diferente. Na maior parte do tempo, os clientes comem reunidos em apenas um lado da mesa, como se estivessem na Santa Ceia. Afinal, ninguém quer dar as costas para o palco onde acontecem os espetáculos, que duram até uma hora.

Jacqueline e as filhas atravessam a entrada, descem um corredor, passam pelo piano-bar e desembocam no salão. Ela estanca na entrada do restaurante e espera alguém vir atender o grupo. De onde está, é possível ver o mar de luxo que a Medieval é: dúzias de mesas redondas com toalhas de linho, talheres de prata, candelabros e cinzeiros que somem sujos e reaparecem limpos segundos depois, como mágica.

Sobre o palco está Phedra de Córdoba, uma transexual cubana que veio ao Brasil ser bailarina de teatro de revista na década de 1950 e não voltou mais para a ilha natal. Phedra está rodando com castanholas à mão e um lenço de seda, que termina em uma trança de flores, na cabeça. A iluminação profissional dá à mulher ares de estrela. Seu rosto também ajuda: a sobrancelha é fina, o nariz é afilado, o rosto é de pássaro, com um queixo delicado e olhos grandes e expressivos de atriz. Phedra termina o número e o salão explode em palmas.

A artista cubana some pela coxia, e reaparece poucos minutos depois, flanando pelo salão. "Cariño! Mi amor!", diz para quem vai cumprimentá-la. Mesmo com o sistema de som moderno da casa no último volume, ainda é possível ouvir de longe a voz de Phedra. Ela para a duas mesas de distância, e cumprimenta um jovem de cabelo encaracolado castanho e óculos modelo aviador, que comemora seu aniversário de 26 anos. É Celso Curi, um jornalista que, apesar da pouca idade, já é uma das pessoas mais influentes do cenário LGBT nacional. Naquele ano, Curi havia criado a Coluna do Meio, uma publicação diária para homens gays no jornal *Última Hora*, um dos maiores do Brasil. Ao contrário das poucas pessoas que escrevem sobre o assunto na imprensa da época, Curi opta por não esconder o nome atrás de um pseudônimo. E vira uma estrela do dia para a noite.

"No segundo dia da coluna, recebi uma carta escrita com sangue. Dizendo que iam me matar, que era para eu me preparar", conta Curi. A ameaça não se confirmou, mas o Ministério Público abriu um processo contra o titular da Coluna do Meio, por atentado à moral e aos bons costumes e por "união de seres anormais", porque ele promovia nos textos uma espécie de correio elegante de gays em busca de um companheiro. O processo, do qual ele seria inocentado, se arrasta por muito tempo, mais do que os três anos de duração da coluna. Mas, em um ambiente amigável à diferença como a Medieval, pessoas como Celso e Phedra estão seguras. Mais do que isso, são celebridades. Dentro e fora da boate, em jantares na casa de diretores de teatro e em festas da alta sociedade, existe uma elite. E Jacqueline Bláblábláblá não faz parte dela.

Enquanto Jacqueline escolhe por conta própria uma mesa desocupada, na quarta fileira, outra estrela passa por ela. É Veneza, uma travesti que faz parte do elenco fixo da casa. Mas é como se Veneza não visse Bláblábláblá, por mais que as duas tenham se cruzado em meia dúzia de concursos de miss. As artistas olham através de Jacqueline, como se ela fosse mais transparente do que a porta de cristal do seu palácio.

O desdém de Phedra, de Veneza, do maître e do resto da Medieval afeta Jacqueline, por mais que ela tente não demonstrar. "Ela foi ficando séria. Primeiro, parecia uma estátua: dura, esperando alguém vir atender a mesa. Depois, a testa foi enrugando. Ela ficou com os olhos fundos de quando ficava fora de si. Mas não se mexia", diz Joconda. Até que alguém a cutuca no ombro, e Jacqueline olha para trás. É um jovem loiro e pelo menos vinte centímetros mais baixo do que ela, mas de fama enorme, que quase se equipara a de Welch. Darbi Daniel, um sujeito franzino de cabelo revoltado, é tão respeitado quanto Jacqueline Blábláblá. Mas não é nada temido.

Darbi é produtor de eventos e agitador cultural. Na prática, funciona como um embaixador do submundo LGBT de São Paulo. É ele quem escolhe quais travestis vão se apresentar no programa de Silvio Santos, nessa época um apresentador famoso com ganas de abrir o próprio canal. Por duas vezes nos últimos meses, Darbi esteve com Silvio, e sua então mulher, Cidinha, no salão da Medieval.

Também é Darbi quem arquiteta os momentos mais marcantes da Medieval. Meses antes de encontrar Jacqueline, em 1976, ele tinha sido o protagonista de uma cena mitológica da noite paulistana. Para o aniversário de cinco anos da boate, preparou um presente surpresa. Foi até o circo Orlando Orfei, que estava montado em Santana, e contratou um elefante fêmea para participar da festa. No dia do evento, pôs a atriz Wilza Carla, uma loira de cem quilos e seios exuberantes, em cima da aliá. O treinador do animal, um italiano magro de bigode, avisava que a paquiderme não poderia passar por uma situação que a deixasse nervosa. "Se ela levantar a perna, a mulher vai cair e morrer", avisou o treinador. Mas, no quarteirão entre a avenida Paulista e a Medieval, se juntou uma multidão para ver o bicho e as bichas. A turba gritava, e a elefanta ameaçava fugir. Darbi entrou em pânico. Até que, meia hora depois, quando por fim chegaram ao portão de madeira da Medieval, o treinador conseguiu cutucar o bicho com um ferro que trazia à mão. A aliá abaixou a cabeça devagar, e permitiu que Wilza Carla descesse, sã, salva e gloriosa, em frente à boate.

Em outra ocasião, o próprio Darbi foi o protagonista da festa de aniversário da Medieval. Ele botou um vestido branco de babados, apagou a pele com pancake e vestiu uma peruca de cachos brancos, como a usada em tribunais da França do Antigo Regime. Darbi Daniel estava fantasiado de Branca de Neve. Mandou fazer um caixão de vidro do seu tamanho e contratou sete anões para carregá-lo até a porta da festa. De novo, uma multidão parou para assistir. Desconhecidos gritavam: "Tá fedendo!", "Horrorosa!" e "Podre!" para o caixão, enquanto ele era carregado em uma procissão festiva na rua Augusta. Quando o cortejo fúnebre chegou à boate, apareceu um dançarino da casa, em cima de um cavalo, contratado para personificar o príncipe. Ele apeou do cavalo, deu um beijo na boca de Darbi, que cuspiu uma maçã, se levantou e entrou lépido na Medieval.

Mas, nessa noite de 1976, Darbi está em roupas civis, uma camisa de seda e uma calça jeans de cintura alta. Ele e Jacqueline trocam dois beijos e algumas palavras, até Darbi ser chamado para outra roda. Enquanto isso, ninguém serve a mesa que Welch escolheu e ocupou, sem esperar pela permissão do maître. Passa meia hora, e nada. Enquanto as mãos invisíveis dos garçons se ocupam com mesas ao lado, trocam couverts desfalcados por novos e usam colheres para cortar filés ao molho madeira malpassados, Jacqueline não ganha sequer um olhar.

A Medieval é moderna e liberal. Recebe figuras contestadoras, como a apresentadora Elke Maravilha e a trupe de dançarinos DZI Croquettes, que vestem tangas de crochê e pintam o rosto para se apresentar sobre scarpins de salto doze. Mas modernidade tem limite. Putas do centro não são bem-vindas.

Talvez seja nesse momento de folga que Jacqueline Blábláblá se dê conta de que é marginalizada entre as marginalizadas. Quando passa, espalha uma onda de adjetivos, como se fosse poeira. "Pesada", "Babadeira", "Perigosa", "Mafiosa", sussurram as vozes. Além do episódio do cabelo cortado à força, nos dois primeiros anos como cafetina ela já acumula uma série de delitos na ficha corrida que circula por fofoca pela cidade. Fez uma das filhas dormir ao relento da rua Rego Freitas, depois de descobrir que ela havia aceitado dinheiro por fora de um cliente. A regra era clara, só Jacqueline podia manusear as notas, pagas antes do programa, para depois dividir o valor pela metade e repassá-lo semanalmente às filhas. Quando descobriu que havia sido passada para trás, invadiu o quarto da funcionária e a arrancou de casa, pelada, bateu a porta e a fez passar uma noite na rua.

Outros casos forjavam uma mitologia em torno de Jacqueline, como a vez em que contratou um gigolô para dar uma surra em uma travesti que se recusou a ser sua afilhada, e assim feriu seu ego. A prática de pagar alguém para fazer mal a um inimigo é tão corriqueira nesse mundo que tem até gíria entre as travestis: "Mandar um doce".

Outro exemplo de doce mandado por Jacqueline é narrado por Totó, uma drag queen decana de São Paulo. "A Jacqueline tinha um namoradinho. E o Reinaldo Cabral, costureiro da cantora Clara Nunes, estava sempre metido com os bofes alheios. Reinaldo ofereceu para esse boy da Jacqueline um bom dinheiro, e ele foi", conta Totó. Quando Jacqueline descobre que um dos seus amantes se vendeu para outra pessoa, fica possessa e decide mandar um doce para Reinaldo. Um capanga chega de surpresa no ateliê do costureiro, situado no primeiro andar de um prédio na rua Frei Caneca. "O cara era um cafetão em quem ela confiava. E foi para matar o Reinaldo. Para não ser morto, ele saiu correndo em direção à janela e se jogou", conta Totó. O costureiro cai em pé e é acudido por quem está no bar vizinho ao prédio. Mas o doce funciona. "Caiu de pé e quebrou as duas pernas. Pelo resto da vida mancaria, e deu o nome à perna ruim de Jacqueline", diz Totó.

O temperamento de Jacqueline já é famoso no meio dos anos 1970, assim como o hábito de estapear com certa frequência as pessoas com quem trabalha. Caso contrariem a mãe, todas estão sujeitas a muitos gritos e uma bofetada na cara — a exceção é Mona, com quem Jacqueline nunca levanta a voz.

Há outra razão que tornava Jacqueline malvista no universo de glamour. "Todo mundo sabe que, se ela gostasse de uma bicha, ia chamar para trabalhar com ela. E quem não queria, ela dava um jeito de bater", diz Totó. "Então as bichas mais bonitas se escondiam quando ela chegava, não queriam ser vistas, para não encantarem, para não serem convidadas." Mas mesmo quem a teme no mundo artístico faz questão de tratá-la com mais desdém do que com reverência. "As artistas não se metiam com quem fazia viração, simples assim. Arte era arte e viração era viração", diz Margot Minnelli. E Jacqueline Blábláblá pode ser a rainha da noite, mas não é aceita no mundo artístico. Há um muro invisível que deixa cada universo no seu canto. Um muro de moral.

Não é nem meia-noite quando Jacqueline se dá por vencida. Levanta-se da mesa, deixa um maço de notas que já estiveram amarfanhadas no bolso de homens e, sem trocar uma palavra, suas filhas a seguem. O grupo vai embora. Jacqueline entra no Ford Landau azul-escuro que comprou não havia seis meses e ainda exala cheiro de novo. Quando se espremem no carro, Beth Carioca brinca: "Acho que ano que vem você vai ter que comprar uma Veraneio para caber todo mundo, mãezinha", fazendo menção à perua que comporta até oito pessoas. Jacqueline não responde. Mastiga xingamentos enquanto o carro pega a rua Augusta no sentido centro. E, se depender da condutora, nunca mais volta para os Jardins.

ESTRELA E VENDEDORA DE MÓVEIS

O mundo da arte não é cruel só com rainhas da noite como Jacqueline. Kelly Cunha, a amiga da alta sociedade de Blábláblá, também sofre com a competição voraz do palco e a cultura de diminuir as demais. Em uma tarde de 1976, Kelly chega à Medieval para ensaiar um show que vai estrear dali a algumas semanas. Mas, antes mesmo de entrar no camarim, ouve gritos. É Phedra de Córdoba, berrando com Elisa Mascaro, a dona da boate: "Que merda é essa? Que estrela é essa?". A merda de estrela a que Phedra se refere é a própria Kelly. "Eu ouvi tudo aquilo, do corredor, e pensei: 'Gente, estou fazendo tanto sacrifício para fazer isso. Pra quê?'". Kelly dá meia-volta sobre os saltos quadrados. Sai da Medieval pela mesma porta que entrou. Sem consciência, abraça o figurino que havia trazido para o ensaio, como se fosse uma amiga que lhe desse alento. Promete para si mesma que nunca mais vai se apresentar em casa noturna. Uma promessa que cumpre. Nunca mais sobe em palco de boate para fazer show. A partir de então, suas apresentações estão restritas a mansões, casamentos, programas de TV, concursos de miss e estúdios de cinema. Mas, em boate, nunca mais. "Era um universo pior do que a rua", diz Kelly, que nunca se virou, mas conhecia de perto o mundo do sexo pago.

Há um lado ainda mais sombrio na vida artística das travestis de São Paulo. O que parece ser um diamante para quem vê de fora não passa de um falso brilhante: suas carreiras não rendem, não têm valor financeiro de verdade. Mesmo as artistas de prestígio e de carteira assinada na Medieval, como Kelly, Veneza, Monalisa, Miss Biá e Phedra ainda precisam manter empregos diurnos como cabeleireiras, maquiadoras, depiladoras ou até vendedoras de móveis, porque a paga da boate não sustenta uma casa, por mais que um jantar na Medieval pudesse custar até cem dólares. "Não dava para viver com o salário. Eu trabalhava o dia todo e depois ia para o ensaio. Tinha que trabalhar normalmente e depois ir para a boate, ensaiar mais três ou quatro horas e me apresentar", diz Margot Minnelli.

O maior exemplo de como essas artistas podem até ganhar fama e poder numa comunidade, mas dificilmente são reconhecidas financeiramente, é Ditinha Soares, uma travesti magra, de braços torneados e cabelo black power. Depois de se mudar do interior para São Paulo e dormir na rua, Ditinha consegue um emprego como zeladora do teatro das Nações, uma casa de trezentos lugares na avenida São João. É ela quem abre o teatro, limpa os corredores, arranca chiclete do vão dos assentos e faz as vezes de bilheteira, quando preciso. Em troca, ganha um salário mínimo e o direito de morar num quarto nos fundos do teatro. Até que, por obra do acaso, Ditinha se torna uma estrela. O momento diva de Ditinha acontece em 1973, três anos antes de Blábláblá ser ignorada no Medieval.

O teatro das Nações é o mesmo lugar em que Jacqueline foi batizada com uma peruca ainda quente, saída do forno. Também é onde uma travesti nasce para o estrelato, numa noite em que um jovem Caetano Veloso, aos 31 anos, acaba de chegar do exílio político. No começo de 1973, Caetano vai apresentar um show que leva seu nome no teatro das Nações. E cruza com Ditinha. Fica fascinado pela figura da travesti e a convida para participar da apresentação.

O show de Caetano termina com uma homenagem a Orlando Silva, um artista tão popular nas décadas de 1930 e 1940 que era conhecido como o Cantor das Multidões. Quando o público já está batendo palmas, e o espetáculo parece ter chegado ao fim, Caetano começa a cantar um bolero de Orlando Silva, usando uma calça boca de sino feita de retalhos de veludo de cores diferentes. O peito do cantor estaria nu, se não fosse por um suspensório fininho, também de veludo. Caetano começa o bolero: "Tu és a criatura mais linda que os meus olhos já viram/ Tu tens a boca mais linda que a minha boca beijou/ São meus os teus lábios, esses lábios que os meus desejos mataram/ São minhas tuas mãos, essas mãos que as minhas mãos afagaram/ Sou louco por ti, eu sofro por ti, te amo em segredo". Então entra Ditinha, vestindo um macacão de veludo preto e colado, o cabelo crespo com plumas verde-limão encaixadas na nuca, e uma rosa vermelha em cima da orelha. Ditinha dança sozinha, uma espécie de samba moderno ao redor de Caetano. As correntes prateadas que envolvem o pescoço e os braços balançam, conforme ela se movimenta. É uma participação no show de um dos maiores artistas brasileiros, que se repete nas apresentações de Caetano do Museu de Arte Moderna, no Rio, e no Tênis Clube de Campinas. O mundo cult vê Ditinha, que está creditada como "atriz convidada" nos anúncios da turnê. O que não muda sua vida em praticamente nada. Ela ganha mais por uma apresentação com Caetano do que um mês todo de salário como zeladora, sai em meia dúzia de jornais, sempre sendo chamada de "o travesti", mas não surgem outros trabalhos. Quando a turnê acaba, sua vida vai do palco de Caetano direto para o quarto dos fundos do teatro das Nações. "A gente queria muito ser artista. Mas parece que o mundo não queria muito que a gente fosse", conta Ditinha.

Pouco depois da meia-noite, no mesmo dia da visita frustrada à Medieval, o carro de Jacqueline está de volta ao centro. O Landau azul-escuro desce a rua da Consolação até seu encontro com a avenida São Luís, e precisa fazer um retorno de oito quarteirões para chegar à rua Rego Freitas. O trajeto deixa claro como a cena ali está mudando. O bairro está em polvorosa, com ruas lotadas por uma nova boemia. Aparecem boates elegantes e decadentes, frequentadas pela elite da cidade, como Eduardo's e a New Ton Ton, na rua Nestor Pestana, uma via de dois quarteirões que liga a rua Augusta à Consolação, onde também está o teatro Cultura Artística.

Em meados dos anos 1970, o centro também passa por um boom gay. Em 1978, nasce a boate Homo Sapiens, na rua Marquês de Itu, que vai ser uma das maiores da cidade. É inaugurado o Man's Country, um bar com palco e temática de velho oeste na rua Santa Isabel. Também surge o Cowboy, um bar em que cada mesa ostentava um telefone preto, com o qual os clientes podiam fazer ligações uns para os outros e flertar. Mas era um boom *gay*, não LGBT. Travestis não eram aceitas em nenhuma dessas casas, a não ser que fossem contratadas para dançar e dublar no palco.

E há também os bordéis do centro. A casa de Blábláblá não é uma ilha de ilegalidade. A região começa a ser chamada de Boca do Luxo. Uma boca da qual Jacqueline Blábláblá e seu palácio são apenas um dente. Talvez de ouro, mas só uma pequena parte de uma boca grande. Há ainda a boate Cave, um inferninho subterrâneo que imita uma caverna, e os bares Michel's e Dani, dois lugares com as paredes cobertas de veludo, atrás do hotel Hilton, onde a prostituição de mulheres era o prato principal.

Jacqueline Blábláblá pode sofrer de falta de status no mundo artístico. Mas o que não lhe falta é dinheiro. Quando o carro encosta em frente ao palácio, é evidente como a casa não faz feio se comparada à Medieval. A porta do casarão foi trocada por um vidro brilhante de dois metros. O salão de beleza, que segue funcionando no térreo, ganhou um candelabro de cristal. O bordel, no andar de cima, está com papel de parede novo e sofás de couro capitonê, onde os clientes fumam charutos quando não estão nos quartos, com as filhas de Jacqueline, e jogam conversa fora com a cafetina, que é melhor de ouvir do que é de falar.

Talvez seja na noite de rejeição na Medieval que Jacqueline toma uma decisão. Se ela não é bem-vinda na boate alheia, vai ter a própria. Meses depois, ela compra a Dani's, a metros do seu palácio, uma boate pequena, com espelhos na parede, mesas de madeira escura e veludo em um sofá que ocupa uma lateral inteira. A Dani's não é nenhuma Medieval, mas se transforma em uma antessala do palácio da Rego Freitas. É lá que seus clientes mais tímidos vão para beber um drink, conhecer as filhas do clã Bláblábá e, depois de tomar coragem, rumam para a casa de dois andares com a prostituta que escolheram. Jacqueline não reproduz a opressão de que foi vítima: na Dani's, travestis, transexuais, drag queens e prostitutas são bem-vindas. Desde que paguem pelos drinks.

Mas, naquela noite, quando chega ao palácio, Jacqueline não quer saber de trabalhar. Sobe as escadas e abre a porta da suíte, com tapetes persas pendurados na parede e uma cama gigante de dossel. Por uma noite, a primeira em anos, suas filhas trabalham sozinhas, sem a supervisão atenta da chefe.

PERDA DA INFÂNCIA

Na véspera do Natal de 1978, uma mulher de quase dois metros de altura para em frente à casa onde morou seis anos antes. Toca a campainha. Quem abre a porta é sua mãe, com quase meio metro a menos de altura. Quando vê a visita, faz uma cara de quem tenta reconhecer uma velha conhecida — franze o cenho e encara aquele rosto que lhe é familiar, enquanto a mulher entra na sala e encontra as irmãs e uma tia. Ela traz um saco de presentes nas mãos, todos com um cartão, que leva o nome de um destinatário diferente, na letra cursiva caprichada que ela treinou até a terceira série, quando parou de ir à escola. O que não varia é a assinatura da remetente: Marquesa.

Ela entra na cozinha sorrindo e entregando os presentes. Ao deparar com um homem de cabelo salpicado de branco saindo da sala, diz: "Oi, pai". É aí que a família confirma a suspeita. A filha, que consideravam um filho já morto, havia voltado ao lar.

Essa criança tinha nascido em 1960, no hospital Beneficência Portuguesa, maternidade da classe média alta da cidade. A mãe, Lourdes, é funcionária pública, e o pai, Sílvio, é dono de oficina mecânica. O parto da segunda criança de Lourdes e Sílvio dura oito horas. Quando o bebê finalmente vê a luz, o médico diz: "É um menino!". A mãe e o pai concordam, bem como os burocratas que lavram sua certidão de nascimento, seu RG e sua carteirinha de vacinação. "E era um meninão", diz uma das irmãs da criança.

Mas o tamanho avantajado da criança não se manifesta em virilidade. Pelo contrário. A criança é delicada. Evita pisar na oficina do pai e prefere ficar na cozinha com a mãe. Samba em meio às passistas quando a família vai à quadra da escola de samba Vai-Vai, aos domingos. Até que o irmão mais velho pede aos pais que parem de levar a criança ao barracão do samba. Eles concordam, e uma criança de menos de dez anos passa a ficar sozinha em casa. "Eles tinham vergonha. Sempre tiveram vergonha da Cris. Diziam: 'Já não basta ser preto, tem que ser viado?'", conta Kaká di Polly, uma das matriarcas da noite de São Paulo. Cris contava histórias parecidas para sua amiga Divina Nubia. "Diziam para ela: 'Preto não pode ser viado. Negrão não pode sujar a raça. Branquinho viado, tudo bem. Mas negrão viado, não, porra!'", conta Nubia.

Um dia, a criança passa em frente à oficina do pai, a caminho da escola pública. Um cliente, que está esperando algum reparo no motor do carro, comenta: "Que horror. Criança e já desviada, rebolando que nem mulher". O pai, no fundo da loja, não diz nada. Esconde o rosto atrás do capô e finge que não conhece a criança a quem seu cliente ofendeu. Que não é seu filho.

No quarto que divide com um irmão mais velho, a criança se sente mais ameaçada do que protegida. Não levaria nem mais dois anos para fugir. Em 1972, aos doze anos, saiu de casa para ir a pé à escola e não voltou nunca mais. O que os pais não sabiam é que Cristiane Jordan, à época ainda identificada por um nome masculino, tinha conhecido um homem no caminho de quatro quarteirões. Um homem que se aproximou puxando papo. Um adulto que convidou uma criança de doze anos para tomar um sorvete. E que conquistou a confiança da criança. Durante semanas, ele apareceu todos os dias úteis na porta do colégio e conversou com a aluna da terceira série. Até que disse que amava a criança, e que queria levá-la para morar com ele.

Cristiane descrevia como, aos doze anos, fugiu de casa para morar com esse homem. Um adulto que anda de mãos dadas com ela na rua, mas que dentro de casa faz coisas que não podem ser mostradas em público. E, daquele momento em diante, a criança o chama de "tio". Passam meses vivendo assim, no apartamento dele, num prédio de classe média. A criança é proibida de sair de casa. Deixa de ir à escola e de ter contato com a família. Mas fala que não sente falta da vida que teve até então. "Eu me senti amada ali, pela primeira vez", ela disse anos mais tarde. O amor acaba em trauma. Menos de um ano depois, a polícia derruba a porta do apartamento do "tio" e leva o homem preso, por pedofilia, após uma denúncia dos vizinhos.

Cris é levada para um orfanato, onde não fica nem um mês. Foge na primeira oportunidade, e anda durante um dia inteiro até chegar ao centro. Dorme na praça da República. Come os restos de sanduíches que ganha de mulheres que trabalham na região. Até que conhece dois michês que dão ponto na praça. Imitando o comportamento deles, começa a fazer programa. A criança atende os clientes em hotéis na rua Sete de Abril ou no banco traseiro dos seus carros.

Já acostumada a fazer programas, essa criança se assusta quando um homem se aproxima e a convida para almoçar. O desconhecido, alto e magro nos braços, mas gordo na barriga, apertada em um terno, se chama Zé Leôncio. Vão ao Rei do Filé, um dos restaurantes mais tradicionais da cidade. É o lugar mais sofisticado a que ela já foi, com chão de ladrilho e móveis antigos. Os dois dividem um filé com alho, que seria para sempre o prato predileto de Cris. Durante a refeição, o homem para de olhar para o prato, levanta os olhos para ela e diz: "Você é muito bonita". É a primeira vez que alguém se refere a ela no feminino. Passa os nós dos dedos nas bochechas, e continua: "Seus traços. Tão femininos. Você pode ganhar dinheiro com eles. Bastante dinheiro". A cena não é uma declaração de amor, como Cris a interpreta no momento, sentindo o peito esquentar, como se alguém tivesse substituído seu coração por uma bolsa de água quente. É uma proposta de trabalho. Trabalho análogo à escravidão, no caso. Zé Leôncio é cafetão. Explora ao menos meia dúzia de travestis que, como ela, fugiram de casa por não se identificar com o gênero que lhes foi atribuído ao nascer.

Zé Leôncio leva Cris do restaurante direto para um hotel na rua Rego Freitas, a mesma do Palácio de Jacqueline Bláblábláá. Ele paga uma semana de estada e, na mesma tarde, começa a levar homens para visitar a criança, então com treze anos. Ela passou os últimos meses treinando para dar a esses homens o que eles queriam: prazer. Metade de tudo o que ganha vai para Zé Leôncio, na teoria. Na prática, tudo o que ela ganha fica com o cafetão, porque ele cobra o hotel, superfaturado, da parte dela; cobra as marmitas, superfaturadas, da parte dela; cobra até o suborno da polícia, quando há uma batida no hotel, da parte dela. No fim do mês, resta a Cris menos do que um salário mínimo. Anos depois, ela faria as contas e estimaria que, naquele momento, sua exploração gerava entre vinte e trinta salários mínimos mensais. A exploração sexual de uma criança.

Essa criança se torna adolescente nessa vida. Uma vida de repetição. Todos os dias, dorme até Zé Leôncio chegar, geralmente já acompanhado. O cliente entra, ele fica do lado de fora. Os dois se falam cada vez menos. Durante quase cinco anos, Zé Leôncio dá somente uma vez presentes para a jovem: compra uma peruca, saltos, vestido e lingerie feminina, tudo usando o dinheiro que é dela.

Ela começa a se vestir com roupas femininas. Não só dentro do quarto de hotel que ninguém limpa nunca, mas também nas poucas vezes em que sai. Ela passa na frente de cinemas, mas não tem vontade de entrar, vê pessoas quase da sua idade bebendo em mesas de plástico na calçada, e desvia. "Eu não sentia nada", diz, décadas depois. "Nada. Era oca." Uma rara fagulha a assola no peito quando, certo dia, anda por uma rua repleta de lojas de moldura. Vê que está na Marquês de Itu, e pensa que é engraçado como quase todas as ruas levam nomes de homens: marechal, duque, governador e marquês, sempre no masculino. Ela, então, toma para si o nome da rua em que está parada, mas dá seu toque. Passa a se chamar de Marquesa.

Em outro dia de faísca emocional, Marquesa sai sem rumo. Vai parar perto da rua 25 de Março, então maior centro comercial de São Paulo. Vê na vitrine de uma loja de brinquedos uma boneca Barbie. Seu olhar passa batido por ela, até que pousa em um urso de pelúcia preto, com o focinho de plástico brilhante, imitando couro. "Eu me apaixonei. Entrei na loja, gastei todo o meu dinheiro." Marquesa dispensa a sacola e sai na rua agarrada ao seu primeiro bicho de pelúcia. "Ele era todo preto, que nem eu. A única coisa toda preta da loja."

O urso passa a viver no quarto do hotel decadente da Rego Freitas. Quando Marquesa está sozinha, ele mora em cima da cama. Quando ela recebe uma das suas várias visitas diárias, ela o transfere para a parte de baixo. Antes de esconder o urso, pede licença, e o engana dizendo: "Hoje você vai dormir no andar de baixo do beliche". O urso passa mais tempo debaixo da cama do que sobre os lençóis. E Marquesa passa mais tempo trabalhando do que dormindo, nessa vida que classifica como infeliz mas não a mais infeliz que teve até então. "Era menos infeliz do que em casa. Pelo menos, eu não sentia medo. Eu tinha o Zé Leôncio na porta, se alguém bancasse o espertinho", disse anos depois.

Até que, no fim de 1978, pouco depois de completar dezoito anos, Marquesa tira uma noite de folga no 24 de dezembro, sem pedir para Zé Leôncio. Volta a pé para a Bela Vista, de onde tinha fugido seis anos antes. O retorno é de um significado enorme, embora a distância seja curta e leve menos de quinze minutos para chegar. Fazia dias que ela tinha decidido aparecer para o Natal da família. Tempo suficiente para vasculhar as lojas do centro e comprar um presente para cada parente. Ela para na frente de uma casa, simples e térrea. Faltam cinco minutos para a meia-noite quando toca a campainha e entra.

O irmão mais velho, José, o mesmo que ela temia quando os dois dividiram um quarto, é o único que não olha na sua cara. Marquesa o ignora também e fica na cozinha, com a mãe, a irmã e a tia, que seguem cozinhando e decorando pratos como se não tivessem acabado de reencontrar uma pessoa da família sumida há anos. Enquanto a igreja da Consolação dá as doze badaladas que anunciam o nascimento de Cristo, Marquesa chora com a boca cheia de frango com farofa. Está na mesa com as mulheres da família. O irmão e o pai foram comer na sala, de frente para a televisão, num protesto silencioso contra sua existência.

Mas, para quem comeu o pão que o diabo amassou nos últimos seis anos, ter meia aceitação da família já é lucro. Enquanto Marquesa mastiga, lágrimas escorrem pelo seu rosto. "Do nada, eu voltei. Viva e mocinha." Naquele momento, ela nasce de verdade, como Jesus tinha nascido quase 2 mil anos antes. E decide que não vai mais viver em uma torre. Que nasceu para as ruas, e as ruas seriam dela, independentemente do que tivesse que fazer.

O MONOPÓLIO DE LIZA MINNELLI

Uma morena de cabelo tão abundante quanto selvagem para na porta do cine Marabá, a passos da praça da República. Ela é Claudia Wonder, e está negociando com o bilheteiro do cinema. "Tá. Cem réis e você me quebra esse galho?", sussurra. O homem assente. Para quem está de fora, pode parecer que os dois estão escondendo algum crime. A marquise do Marabá revela qual é o tráfico obscuro que estão tramando: o letreiro grita para a cidade que acaba de entrar em cartaz *New York, New York*, com Robert De Niro e Liza Minnelli. Claudia Wonder consegue convencer o bilheteiro a ficar em pé no fundo da sala em todas as sessões do dia de estreia, cronometrar o momento exato em que Liza entra na tela para cantar "New York, New York" e anotar num papel. Depois, esse papel seria entregue para Claudia, com todos os horários em que a musa toma a tela, e ela conseguiria escapar do trabalho, a dez minutos de caminhada, e ver a apresentação de Liza cinco, às vezes seis, vezes no mesmo dia, por semanas seguidas.

As escapulidas para o cinema não são diversão, mas um estudo de personagem. Claudia Wonder é uma jovem e promissora travesti que quer ganhar um concurso em uma nova boate do centro, o Gay Club, que fica nos limites do Bixiga, o bairro italiano da capital paulista. O Gay Club é um bom exemplo da nova noite que nasce em São Paulo, voltada à classe média, e que mistura arte com diversão. Contestação com caça. No começo da noite, o lugar é um teatro que apresenta peças como *Boy Meets Boy* e *Boys In The Band*, mas depois das onze, se transforma em uma boate com shows e concursos, como o que Claudia Wonder quer vencer.

A dedicação da artista serve para justificar uma cena que aconteceria semanas depois do lançamento do filme. No começo de 1978, Claudia Wonder interpreta Liza Minnelli, dublando "New York, New York", ao fim de toda sexta-feira. É ovacionada. Aplaudida de pé. Ganha não um, mas três concursos seguidos.

Acontece que, em uma sexta de maio, a ruína chega ao camarim, na forma de uma morena de um metro e meio vinda de trem de Santo André. Margot já aparece maquiada. Os olhos expressivos cercados por cílios que parecem postiços, mas são naturais, a pele alvejada com pó de arroz, a boca vermelha. O rosto está quase limpo, a não ser por fios da costeleta com que ela desenhou arabescos nas têmporas, usando gel de farmácia. Quando vê Margot vestindo um terninho amplo e branco, como o que Liza usa no filme, Claudia pergunta que número ela vai fazer, já desconfiada. "New York, New York", a outra responde. Claudia para, muda. Nem suas pálpebras se movem. Margot, sem saber que havia ferido de morte o ego da outra competidora, segue explicando como será seu número. "Eu só vi o filme uma vez, mas adorei", diz para as costas de Claudia, que já se virou e está olhando para a bancada de produtos de beleza entulhados no camarim.

Claudia ouve em silêncio. Pega um vidro oitavado de água de colônia que alguém havia deixado na bancada, e anda até onde Margot está sentada. "Deixa eu te perfumar um pouco antes de você entrar em cena", diz. E entorna o perfume na cara de Margot, que grita de dor. O que Claudia Wonder ainda não sabe é que Margot é uma das melhores maquiadoras de São Paulo, e trabalha desde adolescente em alguns dos salões da elite do Grande ABC. Depois de deixar o rosto debaixo da torneira do camarim por quinze minutos, Margot saca o lápis, o corretivo, o batom e refaz a maquiagem a tempo de entrar no palco. Sem tremer ou pestanejar. A sabotagem saiu pela culatra.

Margot entra no palco, interpreta um "New York, New York" que impressiona os jurados e se sagra a campeã da noite. "Naquela época os prêmios eram uma coisa horrível. Discoteca grátis por um ano, um dinheiro merreco", diz a campeã. Mas, além da premiação, Margot ganha ali algo de mais valia: um sobrenome. A partir de então, passa a ser Margot Minnelli, tamanha sua competência em dar à luz uma imitação da filha de Judy Garland. E Claudia Wonder nunca mais faz sua versão de "New York, New York". Dez anos depois, Wonder seria cantora, amiga do escritor Caio Fernando Abreu, musa do movimento punk. Uma das figuras mais transgressoras da arte no Brasil. Mas, em 1978, Claudia Wonder foi derrotada em um cabo de guerra por Liza Minnelli.

Margot ganha o monopólio de Liza Minnelli no centro. Mas não só: ela começa a expandir seu rol de imitações. Aperfeiçoa sua Carmen Miranda. Cria uma Judy Garland. A cada semana, ganha mais fãs, que a seguem por onde quer que vá. Às terças, por exemplo, o grupo migra para a Folia Roleta, uma choperia frequentada por LGBTs no fim da Rego Freitas, a um quilômetro do bordel de Jacqueline.

No Roleta, Margot faz um show com as veteranas Makiba e Paulette Porrada. Entre os números de dublagem e de dança, elas apresentam um bingo. Quem completar a cartela ganha um peru recheado com farofa, para comer na hora. Não à toa, o nome da festa é Noite do Peru.

Como toda estrela que dá valor a seu público, Margot recebe

fãs no camarim depois das suas apresentações. E um deles chama a atenção, em um dia em que ela está tirando frutas da cabeça e desconstruindo sua Carmen Miranda. Um jovem se aproxima. É uma figura andrógina e alta, com quase um metro e noventa e um rosto apolíneo, o queixo quadrado, os olhos incrustados dentro de uma testa projetada e pálpebras caídas. Há quem chame essa pessoa de Frankenstein, por conta de seu porte avantajado e dos traços duros. Mas esse não é seu nome. "Meu nome é... Andréa." O nome, sem "i", tem algo de italiano. E muito de andrógino: na Itália, Andréa é um homem. No Brasil, tende a ser uma mulher. No centro, não se sabe o que Andréa é. "E ninguém se importava. Ela era uma coisa linda, cabeluda, alta, postura ereta, meio príncipe meio princesa", lembra Margot.

O jovem volta dali a uns dias. E retorna mais uma vez. A cada visita, seu corpo está levemente alterado, como se passasse por uma transformação em câmera lenta. Os lábios estão mais cheios. O cabelo, cada vez mais comprido e volumoso. As ancas vão escalando uma numeração de calça a cada visita, até que são coxas cheias, rotundas, que terminam em uma bunda farta. De repente, é como se Margot Minnelli tivesse perdido o crescimento de uma filha, por vê-la todos os dias e não notar o estirão. "Teve uma noite que ela chegou e era um mulherão. Enooorme. Enorme de altura, enorme de largura, com umas ancas lindas, que pareciam dois fuscas, mão enorme, pé enorme. Só os peitos que eram pequenininhos." Nascia Andréa, com acento. Andréa de Mayo.

Andréa, o ex-adolescente estabanado, havia completado a transição começada no palco do programa *A Hora do Bolinha*, em 1973. Chegou ali um jovem afeminado e tenso, o corpo esguio rijo dentro do smoking, o cabelo crespo alisado e jogado para o lado com gel. Ele arfa na coxia do show de calouros. Ao entrar no palco, tenta disfarçar a tremedeira ao segurar o microfone, e abre a boca. O teatro Cultura Artística, que empresta o palco para a filmagem do programa, se enche com uma música que grande parte da plateia conhece. É "Que saudade que eu tenho", lançada pela cantora Elizabeth, da Jovem Guarda, dois anos antes, que chegou a ser a mais tocada do ano.

Ao contrário da mão trêmula do calouro, sua voz é macia, grave e quente. Não oscila. Não desafina. Mas tampouco empolga. Antes de terminar a palavra "circo", na primeira metade da música, a canção é interrompida pelo apresentador, carregando o microfone com cinco metros de fio na altura do peito, à mostra com a camisa florida aberta.

"Obrigado, meu filho. A música está realmente arrebentada. Mas você não arrebenta tanto, não."

Os jurados dão seus pareceres. Acham que falta firmeza ao candidato. Dizem que a voz do participante é correta, mas comum. E ele é eliminado.

QUANTO MAIS LETRA DOBRADA, MELHOR

É só mais uma derrota para um colar delas que já carrega. O candidato havia saído de casa, na zona Norte de São Paulo. Fugiu antes de ser expulso, quando ainda nem tinha deixado a infância para trás, porque era afeminado e começava a ganhar fama de viadinho no bairro. Já havia engraxado sapatos na praça da República. Tinha dançado em teatro de revista. Mas seu sonho mesmo era ser artista, então aquela derrota frente a um grande público é especialmente dolorosa.

O jovem tentava ser estrela desde o berço. Filho de uma faxineira da TV Excelsior, estreou nas artes quando ainda aprendia a falar. Fez parte, na emissora, do elenco do primeiro programa de TV de Nhô Totico, o maior humorista de São Paulo. É ele quem cria o modelo de programa humorístico que se passa dentro de uma sala de aula, com um professor e vários alunos. Mas, ao contrário do que Chico Anysio faria na década de 1990, Nhô Totico não contrata outros humoristas para serem seus alunos. No rádio, ele interpreta tanto o professor como uma dúzia de pupilos, cada um com suas características e seus bordões. Quando vai para a TV, Totico precisa contratar crianças para aparecer com ele na tela, e nosso personagem é um dos primeiros a integrar o elenco. Seu primeiro papel, no programa infantil, consiste em ficar aos pés de Totico e bater palmas para as histórias que o homem conta.

Andréa de Mayo nasceu no dia 4 de maio de 1950. O ípsilon no nome vem só para dar um brilho. "A gente gosta de uma letra difícil. Travesti na nossa época não tem nome mixo, Ana, Carla, Maria. É Brigitte, Lorenna, Istuzzy. E, quanto mais ípsilon, agá e letra dobrada tiver, mais chique", diz Lorenna Sun, com dois enes.

Não demora para que Andréa comece a se arriscar nos palcos. E a pessoa que ainda estava em processo de formação estética começa a frequentar uma boate que parece estar na mesma fase: Val Improviso, aberta em 1975, embaixo do Minhocão. Val vinha de Valdemir Tenório de Albuquerque, o dono do lugar. E Improviso leva a duas interpretações: a oficial é de que a casa não ensaiava seus shows, então era um antro para arte improvisada. A segunda, mais popular entre os frequentadores, é de que o lugar é improvisado mesmo, uma gambiarra. A casa de três andares tem ares de uma obra nunca concluída. Falta reboco em algumas paredes e sobram fios elétricos à mostra, alguns cutucando quem dançasse perto demais. O ponto alto da Val Improviso é um palco diminuto, onde a noite nunca termina. Ali, os shows começam às cinco da manhã, e têm como plateia muitas das travestis que estavam trabalhando, na rua ou em outras casas noturnas, e acabaram o turno, mas não estão prontas para dormir.

Andréa, que vive de bicos como cuidar da chapelaria da boate Nostromondo, é cativa da Val. De tanto frequentar o lugar depois que sai do trabalho, é chamada para começar a apresentar uma noite de shows — o concurso do mais belo garçom da Val Improviso. Mas o evento é uma fraude, a começar pelo fato de que os homens não são garçons da casa noturna. São michês e curiosos que sobem ao palco só de avental e bandeja na mão e, em dado momento, ficam nus para o público avaliar quem é o mais bonito — em partes que não são o rosto.

No começo, Andréa é tímida. Pega o avental de um candidato com a mão trêmula, sem coragem de desnudá-lo sem pedir licença. "Mas vamos ver o que tem aqui, hein?", ela diz, hesitante.

Na décima vez, já está mais desinibida. "Ih, meu filho, eu pedi uma cerveja de casco, por que é que você me trouxe esse copinho americano?", comenta, depois de levantar o avental de um dos concorrentes, para o riso da plateia.

Mais do que o cachê, o que atraía os homens para essa competição é a possibilidade de sair com alguém por um dinheiro melhor do que a casa pagava. E ser bem propagandeado pela mestre de cerimônias é essencial para emendar um programa depois da competição. Andréa começa a ganhar traquejo e se torna a principal apresentadora do caos que é a Val. É assim que começa a ser notada por muita gente, inclusive por um jovem carioca de visita em São Paulo. Agenor de Miranda Araújo Neto, mais conhecido como Cazuza, vai à Val Improviso antes de ser a voz cantante de uma geração. Vê um show de Andréa, um concurso de membro masculino mais vistoso e sai impressionado do lugar. Impressionado pelo que viu, mas também porque não viu o tempo passar. E, no meio da década de 1980, registraria essa experiência no primeiro verso da música "Só as mães são felizes".

Você nunca varou
A Duvivier às 5
Nem levou um susto saindo do Val Improviso
Era quase meio-dia
No lado escuro da vida

Mas, antes de Cazuza ficar famoso ou de ela mesma se consolidar na noite de São Paulo, Andréa some. Some da Val Improviso. Some dos camarins de Margot Minnelli. Depois que havia terminado de se esculpir como desejava, Andréa de Mayo desaparece. Faz o voo da beleza, a primeira viagem à Europa. Fica um ano e pouco na França, trabalha no Bois de Boulogne e faz fortuna.

Quando volta a São Paulo, na segunda metade da década de 1970, já chega com um patrimônio consolidado. Nas primeiras semanas no Brasil, compra um apartamento de cem metros quadrados e de dois quartos em um território burguês, mas a poucos quarteirões da Val Improviso, onde volta a se apresentar.

"Eu era criança. E nunca tinha visto uma pessoa assim de perto. Só na rua, e meu pai ainda mandava a gente não virar a cabeça, não olhar. Daí, de repente, aquela travesti enorme está dentro do elevador, junto com a gente", diz Juliane Failde, que cresceu no prédio para o qual Andréa se muda ao chegar ao Brasil, em 1978. O edifício Jardim do Reno, de classe média alta, dá de frente para o Theatro São Pedro. Se a arquitetura neoclássica do teatro tem colunas e abóbadas, os dois edifícios do Jardim do Reno seguem uma lógica mais soviética de design. São dois caixotes verticais, com janelas pequenas salpicadas no prédio, construído em um terreno enorme, com playground, piscina e uma praça particular. Andréa, única travesti a morar ali, se muda para o apartamento 82 do bloco B de um prédio habitado por famílias respeitáveis. No condomínio, há médicos, advogados e engenheiros, e só Andréa de prostituta. Ou, melhor, prostituta aposentada que tem planos de virar empresária e de constituir família.

Nas primeiras semanas do retorno, Andréa adota um filho de quinhentos gramas, com pelagem macia e branca por quase todo o corpo, menos no rosto, onde predomina uma cor de ferrugem em volta dos olhinhos pretos e expressivos. Paga um salário mínimo em um cão pequinês que batiza de Al Capone. O vínculo é profundo e instantâneo. Andréa dorme com o cachorro, que beija na boca e só alimenta com carne de primeira. "Se eu trabalho tanto, é para ele", ela diz para as amigas que a acusam de estar se transformando em uma madame.

Mas, para o prédio onde vai morar, Andréa não tem nada de madame. No mês em que toma posse do apartamento, uma cena já causa choque na burguesia da Barra Funda. Abismada com a temperatura tropical do Brasil, depois de sofrer por dois invernos Europeus, Andréa decide tomar sol em um dia fresco e outonal. Desce de biquíni de onça até a piscina e se posta à beira d'água lendo alguma revista de moda que trouxe da Europa. Uma criança que está nadando para. A mãe a puxa pelo braço, e a arrasta para casa.

Minutos depois, aparece um morador, de terno e óculos, e pergunta para Andréa o que está fazendo.

"Tomando sol. A piscina é pra isso. E você, tá fazendo o que de terno aqui?"

O homem se ofende. A mãe do menino, que estava na água, se ofende. Qualquer pessoa que vê Andréa de biquíni se ofende. Mesmo quem não a viu, mas só ouviu falar de uma vizinha travesti andando de roupa de banho pelo condomínio se ofende. "Foi um escândalo. Queriam tirar ela a qualquer custo", diz a ex-vizinha. Na assembleia de condomínio seguinte, abre-se uma discussão para encontrar um jeito de considerá-la uma condômina antissocial, o que permitiria ao prédio expulsá-la.

Andréa, enquanto isso, tinha uma preocupação maior do que uma guerra condominial. No começo de 1979, ouve de um produtor de teatro frequentador da Val Improviso que um diretor está em busca de uma travesti para atuar em uma peça de Chico Buarque. E ele pede que Andréa faça um teste. Segundo o produtor, o diretor, Luís Antônio Martinez Corrêa, a havia citado nominalmente como um tipo ideal para o papel. O musical *A ópera do malandro* estreou no ano anterior no Rio, e havia sido um sucesso. A história, inspirada na *Ópera dos mendigos*, de John Gray, e na *Ópera dos três vinténs*, de Bertold Brecht e Kurt Weil, era a de um Brasil corrompido e americanizado, com passagens na Lapa carioca e números cantados dentro de um bordel.

Luís Antônio é irmão de outro grande homem do teatro, José Celso Martinez Corrêa, o fundador do teatro Oficina. Luís Antônio é gay e frequenta o submundo da noite de São Paulo. Desde o começo defende que a personagem Geni, uma travesti que mora num bordel, deveria ser interpretada por uma também travesti. Mas é voto vencido na primeira temporada da *Ópera do malandro*, no Rio, em que o papel de Geni fica com Emiliano Queiroz, um ator que já se consagrava nas telenovelas, e acabaria sendo um recordista da televisão, atuando em setenta produções, como *Ti Ti Ti*, *Que Rei Sou Eu?* e *Irmãos Coragem*. Quando a peça vai para São Paulo, no entanto, Martinez Corrêa vê a possibilidade de inovar, e leva adiante sua ideia original. A protagonista da montagem encenada na capital paulista, Tânia Alves, que substituiu Marieta Severo, explica o que tornou possível a decisão ousada e inconscientemente histórica: "A visibilidade do Rio de Janeiro era muito maior, nessa época fazer teatro em São Paulo ainda era meio segunda divisão".

Andréa de Mayo leva o convite meio a sério, mas confessa para amigas que não acredita que vá conseguir o papel. Atravessa a rua que separa seu prédio do Theatro São Pedro descalça, com um vestido simples de viscose. Passa pela plateia vazia e se encontra com o diretor, que está sozinho no palco. Luís Antonio pede que ela cante. "Atuação a gente dá um jeito, bota os outros atores em cima de você ou te ensina a acessar choro pensando em trauma, que trauma não deve faltar na sua vida", diz o diretor para ela. "Agora, sua voz não tem como disfarçar. Então cante, meu bem." Andréa abre a boca e canta "Que saudade que eu tenho". A mesma música com que havia se apresentado no *A Hora do Bolinha*, quase uma década antes. A voz que havia sido recusada no programa de calouros foi considerada boa o suficiente para estar no Theatro São Pedro, um dos mais famosos da cidade.

Andréa teve pouco mais de duas semanas para ensaiar. "Ela não era atriz, mas se entrosou como se fosse. Foi ótimo, interessantíssimo. Um momento muito revolucionário na minha vida", diz Tânia Alves. Segundo a protagonista, a trupe, que contava com nomes como o da humorista Claudia Jimenez, vivia uma fase palpitante, com ensaios cheios de calor humano.

Andréa é simpática com o resto do elenco, mas mantém distância. É raro que seja vista com o grupo quando os atores e atrizes vão jantar fora depois de cada espetáculo. Uma das únicas vezes que sai com a trupe é para ir a uma festa na casa do diretor.

No palco, Andréa chama a atenção. Há protestos de grupos católicos contra a presença dela na peça, com os seios pequenos à mostra. A crítica elogia o espetáculo, mas nenhuma resenha toca em seu nome. Não falam bem nem mal, simplesmente a ignoram. Poderia ser uma coincidência, mas há textos que citavam da iluminação à atuação de figurantes, enquanto calavam sobre o fato de Andréa de Mayo, uma travesti que vive em um submundo de pessoas segregadas e sem direitos, interpretar Geni, uma travesti em iguais condições.

Até que, dois meses depois da estreia, Andréa deixa de aparecer no espetáculo. Ninguém sabe o que aconteceu. "Ela atuava bem", diz Tânia. A peça tinha quase três horas, e era considerada um trabalho extenuante mesmo para atores tarimbados como Tânia Alves. "Era uma maratona", conta ela.

Andréa de Mayo é substituída às pressas por Thelma Lipp, uma atriz transexual que nos próximos anos alcançaria uma fama que só não superaria a de Roberta Close. Thelma aparece tão de improviso que seu nome nem chega a ser registrado no livreto da peça.

No programa, fica o rosto de outra Geni. Com seis fotos do elenco, como se fossem retratos de presos feitos pela polícia. No de Andréa, o segundo da primeira fileira, ela está com o cabelo preso, as sobrancelhas finas como um traço de lápis. Uma sombra está projetada acima dela, como se a foto com flash tivesse sido tirada do chão. Andréa estava nua, a não ser pelo crucifixo de ouro que leva pendurado em uma corrente de ouro. O acessório era dela, mas a direção gostou tanto que incorporou à personagem Geni. Afinal, as duas, atriz e personagem, compartilhavam muito mais do que uma joia. Elas pareciam compartilhar uma vida, uma na ficção e outra na realidade.

BRINCANDO DE BANCO IMOBILIÁRIO NA CIDADE

Enquanto o condomínio segue tentando expulsar Andréa, ela está ocupada usando o apartamento para dar um golpe. Um processo judicial narra os pormenores do crime. No começo de 1979, o namorado de Andréa, um moreno argentino chamado Norberto Jorge Genchi, mas conhecido na noite como Menghe, se encontra com um homem chamado Carlos Metzembaun. A reunião é para negociar a venda do apartamento do edifício Jardim do Reno.

Mas alguma coisa está fora do lugar — Menghe se apresenta com o nome masculino que Andréa recebeu ao nascer.

O comprador em potencial não nota nada de errado, e eles fecham negócio. Em 6 de abril de 1979, Menghe e o homem que queria comprar o apartamento vão ao 25º Cartório, na Lapa, e assinam a transferência da escritura. O homem leva, numa mala, meio milhão de cruzeiros, quase 180 salários mínimos de então, que entrega como adiantamento para Menghe. Mas o negócio não vale nada. Semanas depois, quando o comprador passa no prédio para retirar as chaves, é Andréa quem o recebe.

"O que o senhor quer aqui?", ela pergunta.

"Vim pegar as chaves do apartamento, como combinado."

"Mas eu não vendi meu apartamento."

"O Ernani vendeu. Eu fui com ele no cartório", protesta o homem, sem saber que quem se passou por Ernani, na verdade era o argentino Menghe. "Mas eu sou o Ernani, camarada. E não vendi meu apartamento porra nenhuma. Você sai daqui, antes que eu quebre sua cara", responde Andréa, com berros que todos os três vizinhos de andar puderam ouvir.

O comprador sai sem seu apartamento novo nem o dinheiro que havia pagado por ele. Dias depois, descobre que as assinaturas feitas por Norberto não eram em nada parecidas com a de Andréa. Ou seja, o contrato não tinha valor algum. E abre um processo contra o argentino, acusando Andréa de cúmplice.

A sentença só sai quatro anos depois, em fevereiro de 1983. Menghe, então ex-namorado de Andréa, é condenado. O argentino é julgado culpado em vários artigos do código penal, entre eles o 297 (falsificar documento público), o 307 (atribuir-se ou atribuir a terceiro falsa identidade para obter vantagem) e também o artigo 171, que de tão conhecido se tornou até gíria para o crime de estelionato. Como Menghe não se apresenta a nenhuma das audiências, a pena é publicada no *Diário Oficial*, mas jamais é cumprida. Andréa não pega nenhuma condenação, pois o juiz considera que não há evidências suficientes para considerá-la cúmplice do golpe. O processo do golpe imobiliário é um dos poucos em que Andréa de Mayo é julgada, por mais que os crimes venham às dezenas nas próximas décadas.

Enquanto o processo se arrasta, a quantia angariada é usada em um plano de expansão dos negócios da nova rainha da noite. Se Jacqueline se dá por contente com o casarão que reformou quase na esquina da rua da Consolação e com a boate pequena que compra na virada da década de 1980, Andréa de Mayo tem desejos maiores. Seu plano de expansão imobiliária vai muito além de ter uma ou duas casas para hospedar as filhas. Com o dinheiro do golpe, ela dá entrada em outros dois apartamentos diferentes no centro. Um no número 41 da rua Guarani, atrás do parque da Luz, e o outro na Bela Vista, perto da praça Catorze Bis. É como se estivesse brincando de Banco Imobiliário com São Paulo.

A temporada de Andréa no edifício Jardim do Reno chega ao fim na virada da década de 1980. Não porque conseguiram expulsá-la. Ela deixa o prédio porque quer, porque agora vai ter que cuidar de perto das suas meninas. Andréa vira cafetina, como havia planejado desde sua volta ao Brasil.

3. Saída pra rua
1979

No fim da década de 1970, Jacqueline já se concentra em um novo negócio. Em vez de disputar garotas de programa com outros cafetões, ou com a vida da rua, ela passa a cultivar filhas. Age como olheira. Quando vê um jovem afeminado recém-chegado a São Paulo, passeando pelo centro com olhos arregalados de deslumbramento, avalia as possibilidades de futuro do seu corpo. Pensa em como o rosto fino ficaria com silicone nas maçãs do rosto. Projeta se o torso delgado vai ficar melhor com seios grandes ou pequenos. Escolhe o modelo de peruca que ornaria com os traços de alguém que acaba de deixar a puberdade. Se vê potencial, puxa assunto. A conversa costuma ser difícil. Mas, uma vez que ganha a confiança do interlocutor, o diálogo segue um mesmo roteiro. Jovens que foram expulsos, ou fugiram por causa de seus trejeitos afeminados. Porque os pais, avós ou parentes viram nos seus modos um potencial de desonra. Jacqueline identifica os mesmos trejeitos e traços, mas vê neles outro potencial. O de lucro.

Se o crivo da sua intuição decide que o jovem é um bom investimento, ela o convida para morar com ela. Financia o implante de silicone líquido, faz os tratamentos de beleza. Tudo para ser cobrado em dobro quando estiver trabalhando. Depois da primeira leva de filhas, que contratou na rua e sequestrou dos cafetões de hotéis baratos, Jacqueline Blábláblá passa a preferir dar à luz as próprias crias. A primogênita é Natasha: uma morena com mais de dois litros de silicone em cada seio, mas quase nada nas nádegas, que já nasceram bem guarnecidas.

Mas a virada da década traz algo de novo às ruas do centro. Se antes era preciso entrar em estabelecimentos decadentes para encontrar travestis se prostituindo pelos corredores, agora as profissionais de sexo passam a atender ao ar livre, escondidas apenas pela noite da cidade. A prostituição, que antes era contida em hotéis e no castelo de Jacqueline Blábláblá, começa a tomar a rua. Primeiro, timidamente. Aparece uma travesti discreta em frente à padaria da Marquês de Itu com a Rego Freitas. Ela encosta no capô de um carro e começa a procurar um maço de cigarros dentro da bolsa, o que faz por mais de uma hora, até que um carro encosta. Troca meia dúzia de palavras com o motorista, e embarca no banco de carona.

Nas semanas seguintes, aparece outra. E outra. De repente, é como se uma multidão de pessoas que até então vivesse escondida tivesse criado coragem de tornar o rosto e a existência públicos. Enquanto o centro decai no imaginário dos paulistanos, há uma pessoa que só sobe. O bordel de Jacqueline Blábláblá recebe mais visitantes do que nunca no fim da década de 1970. Suas filhas enriquecem, por mais que não tenham direito a quarto próprio: cada cômodo é dividido por pelo menos três pessoas, que dormem de dia e passam a noite trabalhando. Jacqueline contrata mais filhas. *Constrói* mais filhas. Nos próximos anos, virão outras, como Katia Loura, Sungali e Maha Blanc. O exército de Jacqueline Blábláblá chega a ter quinze integrantes.

E a rainha trabalha como nunca. Mesmo nos momentos de

folga, está com o radar ligado. Ela se torna jurada de concursos de beleza, como o que venceu no começo dos anos 1970, quando voltou ao Brasil. E, nesses poucos momentos de diversão, mostra que a mesma mão de ferro que puxa o cabelo das inimigas pode afagar jovens travestis. É o que acontece quando a jovem Gretta Starr se encontra com Jacqueline. Gretta é uma jovem santista de corpo esguio e olhos azuis, que não sabia se montar direito até participar do concurso Miss Universo Gay Santos 1979, realizado no teatro Coliseu, o maior da cidade. "Foi a experiência mais louca da minha vida. Eu coloquei o vestido, a peruca, e de repente me olhei e era eu. Era eu, pela primeira vez", diz Gretta.

Jacqueline desce a serra que separa São Paulo do mar com seu Landau azul. Vai sozinha para ser a jurada convidada do concurso. "Quando a gente fala de cafetina pensa numa bicha feia e amarga, mas ela era o contrário. Ela era linda. E não era amarga, não era má na cara", diz Gretta, que ganha o concurso, com nota máxima de Jacqueline.

Assim que a foto da vencedora é publicada na revista *Fatos & Fotos*, Gretta deixa de ser um segredo. "Foi assim que eu saí do armário. Minha família ficou sabendo que eu era travesti." Mas ela, que se mudaria para São Paulo na década de 1980, ganha naquele mesmo momento uma nova família. "Quando venci, a Jacqueline me deu um abraço gigante. Não falou nada. Só ficou ali, naquele abraço." No mesmo evento, Jacqueline convidaria ao menos duas travestis para trabalhar com ela.

Em fevereiro de 1981, Jacqueline descobre que o rádio do seu novo Corcel vermelho não pega fora de São Paulo, mas isso não impede que o veículo rode com músicas na Via Leste, que décadas depois seria rebatizada de rodovia Presidente Dutra. Enquanto dirige em direção ao Rio de Janeiro, Jacqueline canta e puxa as filhas Lucrécia, Beth Carioca e Rosinha para um uníssono. As quatro entoam em coro marchas antigas, como "A Mag", "Inês" e "Ana", de Nuno Roland, que fez sucesso mais de uma década antes.

O trânsito está tranquilo na quinta-feira que antecede o Carnaval. Jacqueline e suas meninas são cautelosas, e saem do palácio antes das oito da manhã, porque querem ter tempo de recompor as forças antes da Sexta Gorda. Quando o carro atravessa a serra das Araras e se aproxima do Rio, ela se prepara para participar pela enésima vez de uma festa de pelo menos quarenta anos, o Baile dos Enxutos.

Nascido no meio dos anos 1940, quando os irmãos Marzullo, Valter Pinto e Carlos Machado decidiram fazer uma festa em que a regra fosse não haver regra, o nome completo era Baile dos Garotos Enxutos, e vinha emprestado de uma gíria da época, quando uma mulher bonita era enxuta. Logo, um homem afeminado, que se parecesse com uma mulher, era enxuto. A lógica era depreciativa e preconceituosa, mas colou, e o baile foi um sucesso desde o nascimento. Reuniu dezenas, depois centenas e por fim milhares de homens gays, de mulheres trans e de travestis. Já tinha passado pelo teatro Recreio e pelo Rival quando aportou no cineteatro São José, na praça Tiradentes, onde o Corcel de Jacqueline estaciona antes de o sol começar a se pôr sobre a capital fluminense.

Elas descem em frente a um prédio branco de quatro andares, a trinta passos da praça Tiradentes, nas pernas de uma pessoa média, ou a vinte, se fosse Jacqueline que estivesse desfilando. O prédio tem, na fachada, um letreiro de plástico que anuncia: Hotel Primor.

O hotel Primor, e também os outros lugares de modestas duas ou três estrelas na vizinhança, funcionam como um camarim para as frequentadoras do Baile dos Enxutos. Em qualquer outra semana do ano, o Primor não é lá uma grande hospedagem. O palacete convertido em hotel recepciona trabalhadores que têm negócios a tratar no centro do Rio e casais que querem ter um encontro discreto na hora do almoço. Mas a hiperinflação que ataca a cidade em fevereiro faz o lugar, de quartos simples, com menos de 20 m^2, ganhar aura de Copacabana Palace. E preço também: quando Jacqueline cruza a porta, tira da bolsa de couro, tão vermelha quanto a lataria do carro, um maço de notas. Entrega para o recepcionista, que já a conhece de outros Carnavais. O homem de quepe e camisa creme sorri, guarda o dinheiro e corre até o carro para ajudar com as malas: ele é o recepcionista, concierge e maleiro do hotel.

Enquanto o funcionário se ocupa com as malas, Jacqueline e suas três acompanhantes se espremem no elevador de aço escovado, cuja placa é otimista ao afirmar que comporta quatro pessoas. Descem no andar mais alto. Quando alguém pergunta onde está hospedada, Jacqueline fala com uma inocência forçada: "É no quarto 115 do Primor", como se não soubesse que a interlocutora sabe que o quarto 115 é a suíte presidencial. A mesma onde anos antes se hospedava Rogéria, a maior estrela transformista do Brasil, que naquele ano está em Paris. E também o lugar pelo qual Jacqueline acaba de pagar 86 mil cruzeiros, quase quarenta salários mínimos, em dinheiro vivo, para ocupar por seis noites durante o Carnaval. Uma suíte presidencial do tamanho do quarto mais fuleiro de um hotel cinco estrelas, mas com banheira e sauna próprias.

Jacqueline e suas filhas jogam as malas sobre uma das camas de casal, em que duas delas vão dormir juntas, enquanto a patroa vai ficar sozinha na segunda. Abrem a valise, que entra em uma erupção de penas, chiffons e brilho. São os figurinos para o baile. Mas não para aquele momento. Na noite de quinta para sexta, elas relaxam. Besuntam o rosto de creme, passam água oxigenada no braço e entram na sauna, nuas. Nuas, a não ser por um detalhe. Jacqueline molha a sandália prateada de tiras que quer estrear no dia seguinte e não a tira do pé, por mais que passe a maior parte da noite pelada, conversando. Quer amaciar o sapato para não correr o risco de sofrer com bolhas na festa mais importante do ano.

Enquanto o clã Bláblábá descansa no Rio, outras travestis, como Kelly Cunha, esperam o ônibus na rodoviária, no centro de São Paulo. "A gente subia no Cometa de hominho, mas sabia que as outras eram todas travestis. E ia aquele ônibus cheio de bichas. Bichas de camisa, bichas de terno se segurando de São Paulo até o Rio, porque quando chegássemos, ninguém ia mais conseguir se segurar", diz Kelly.

Na sexta de Carnaval, o centro da cidade parece uma parada do Orgulho, décadas antes das paradas existirem no Brasil. "Era tanta bicha que parecia a arca de Noé. Era bicha falando inglês, francês, português, paulistanês e carioquês", conta Kelly.

O Baile dos Enxutos é a abertura oficial dos festejos: começa às nove da noite da sexta. Ao menos no convite, porque ninguém respeita o horário além das cinderelas, as que chegam mais cedo para ser fotografadas, e rezam para aparecer na cobertura do Carnaval da revista *Manchete*, um dos principais veículos de comunicação do Brasil no início dos anos 1980. Aparecer em 2 milhões de exemplares do veículo é o mais próximo que uma travesti poderia chegar do horário nobre. E a cobertura do Baile dos Enxutos é farta, porque vende. A revista dedica ao menos seis páginas da edição de Carnaval à festa, e as sessões de cartas das edições seguintes são sempre repletas de críticas e de elogios às fotos. Em 1981, a *Manchete* prepara até um estúdio fotográfico de campana no mezanino do cine São José, com luzes amarelas e um fundo branco.

As cinderelas chegam por volta das dez da noite, para dançar no salão vazio e tentar chamar a atenção da imprensa. Há quem arrisque um discurso para aparecer, nem que seja só no texto, já que as fotos publicadas são poucas — as bonitas costumam ocupar páginas duplas, e as mais caricatas são usadas em colagens com uma dúzia de retratos na mesma página. As frases publicadas pela *Manchete* tendem a ser sensacionalistas, como "O Ney Matogrosso é travesti! Bom, pelo menos parece", dita por Cândida Alva, do subúrbio carioca. Já Bonita, uma travesti de Diadema, mira sua língua em uma injustiça da TV na época: "Aliás, não sei por que travesti não pode trabalhar na televisão, se o Jô Soares vive aparecendo vestido de mulher", ela diz.

A revista publica as frases mais provocadoras e também uma ou outra de defesa pelos direitos das travestis. "Nós temos o caldo de cultura e de civilização que deu nessa alegria toda. É um tchan, aquela coisa que fará o Brasil liderar o mundo gay", prevê Chabrise. "Nós somos as últimas pessoas felizes da Terra. Você já viu um gay apelar para a violência? Ele é o novo ser humano", Chabrise termina de dar o depoimento, e é puxada pelo braço por Brigida Barda, que atendia pelo nome Vanuza Bardot até ser processada por Brigitte Bardot, quando morava em Paris e usava o sobrenome da estrela francesa sem autorização.

Mas Jacqueline Blábláblá não tem planos de chegar cedo ao baile. Nesse mercado em que aparência, juventude e riqueza são as moedas mais valiosas, existe uma regra básica: dar a impressão de que quer aparecer é pior do que de fato querer. É por isso que, para Jacqueline, o Baile dos Enxutos só começa às duas da manhã. À meia-noite, quando o salão tem mais curiosos que travestis, Jacqueline ainda está na suíte com meia dúzia de amigas, bebendo e conversando sobre a vida.

Duas convidadas perguntam se Jacqueline vai a festas durante todo Carnaval. Ela aperta bem a boca e meneia a cabeça: "No Carnaval, a gente descansa se cansando", diz para as visitas. Nas únicas férias que tira no ano, Jacqueline baixa a guarda. Os carnavais no Rio são o momento em que fala sobre a vida pessoal. Ou melhor, a vida pessoal das outras, porque a dela é inteiramente voltada aos negócios. Mas usa sua idade e experiência para dar conselhos às filhas e convidadas que passam pela suíte presidencial lhe contando de suas agruras, e ouvem Jacqueline como quem garimpa ouro.

Quando uma pergunta o que fazer com o dinheiro que estava guardando debaixo da cama, Welch responde de pronto: "Compra um apartamento, boba. A bicha não é uma bicha até ter uma casa própria. Porque ninguém quer bicha velha. Um prato de comida você acha em outro lugar, mas um teto, não. E sua cara vai cair, sua teta vai cair. A única coisa que não cai é o teto de uma casa".

Outra se queixa que o pai não consegue chamá-la pelo nome feminino. Só se refere a ela como "filho". Após ouvir a história, Jacqueline responde: "Seu pai continua te chamando de filho quando você vai para casa? Pois agradeça que não está te chamando de filho da puta, e ainda te recebe pra almoçar", e vira o rosto para outra pessoa, dando o assunto por encerrado.

Enquanto se veste, Beth Carioca comenta que quer pôr mais silicone nos peitos. Jacqueline responde sem olhar para ela, enquanto conversa com Kelly. "Não põe mais, tá bom do jeito que tá. Peito grande demais é que nem cabelo grande demais, só dá trabalho, gasto e dor de cabeça, porque pesa."

De meia em meia hora, uma de suas filhas atravessa a rua e vai até o bar Thalia para pegar cerveja gelada. Não há serviço de quarto no Primor, ainda mais durante o auge do Carnaval. Até que, à uma da manhã, Jacqueline se levanta da cama onde estava sentada, cercada por meninas mais novas. Não precisa dizer uma palavra, todas já estão prontas e sabem que chegou a hora.

A tropa sai do Primor, caminhando com calma pela rua apinhada de gente. Famílias e moleques enchem a praça Tiradentes, ávidos por uma olhadela que fosse nos enxutos, ou, como diriam nos anos 1980, os "desviados". Jacqueline não abaixa a cabeça em nenhum dos trinta passos que dá até a porta do cineteatro. "Era o primeiro ano que eu ia para o baile. E aquele monte de curioso, olhando pra gente, apontando, gritando, querendo pegar no nosso cabelo, aquilo tudo me deu até palpitação", diz Bonita. Mas Jacqueline já está acostumada. É provável que tenham apontado, feito comentários e até ofendido o clã Bláblábláno percurso até a festa, mas ela passa incólume pela multidão, de cabeça erguida. O que não é uma regra na história do Baile dos Enxutos.

PELADAS VERSUS VESTIDAS

Anos antes, em 1967, policiais do quarto Distrito de Polícia de Niterói tiveram de proteger os participantes do Baile dos Enxutos, enquanto desmantelavam a festa, que sequer tinha começado. Naquele ano, o Baile dos Enxutos foi proibido de acontecer no teatro João Caetano, então os organizadores mudaram a festa para o hotel Itaipu, em uma praia de Niterói. Na noite do baile, pescadores e moradores do bairro se reuniram para apedrejar os enxutos. E os policiais tiveram de apaziguar a turba. O *Diário da Noite* do dia seguinte registrava: "Por intermédio do censor Arnaldo, os pervertidos já haviam conseguido permissão para realizar a festa dos travestis, naquele hotel de propriedade de Pizarro de tal, que desapareceu quando da chegada das autoridades". Os niteroienses desistiram de agredir as travestis e os homens gays quando os policiais garantiram que aquela festa, que chamavam de festival da depravação, não aconteceria na cidade. "Diziam que estavam dispostos a tudo, pois suas famílias são humildes, mas merecem respeito", narra a notícia. E assim foi registrado no jornal: "Com ordens severas da secretaria de Segurança (a permissão não era do conhecimento das demais autoridades), a Polícia cercou o hotel do argentino Pizarro, fazendo debandar os pervertidos de Niterói e Guanabara, além de grande número de prostitutas de menor idade".

Nos anos 1980, a realização do Baile dos Enxutos é uma instituição com quase quarenta anos de história, mais antiga do que o Aterro do Flamengo, mas ainda está sujeita à decisão da Delegacia de Diversões, mais um órgão de censura e de repressão subordinado ao governo militar.

Em 1981, o baile não é barrado, e o clã Bláblábla vara a multidão até a entrada do São José, que funcionara como cinema e café-teatro desde sua construção cem anos antes, e que também já havia sediado eventos além de festas carnavalescas. João do Rio descreveu assim uma luta de boxe que assistiu no cine São José: "A multidão acotovelava-se nervosa e febril: rapazes de sport, de carne esplendente e grandes gestos, sujeitos com cara de azaristas, burgueses pacatos, cocottes de alto tráfico, fúfias com boás magros a escorrer pelos pescoços, sujeitinhos cujo moral oscila entre o miché e o amante grátis [...] estávamos no Moulin Rouge para ver a luta romana".

O Moulin Rouge, como João do Rio chamou, está pintado com cores metálicas para o Carnaval de 1981. À uma e meia da manhã, Jacqueline entra no baile. O salão do São José, que foi projetado para abrigar quatrocentos convidados sentados, já recebe mais de mil pessoas em pé. No auge da festa, chega a 2 mil. Mas a primeira coisa que uma foliã como Jacqueline Bláblábla sente ao entrar no cineteatro é o cheiro.

Há quem entre na festa com lança-perfume contrabandeado do Paraguai escondido entre as coxas. E há quem entre borrifando perfume de verdade. Jane, estrela do espetáculo Gay Fantasy, chega ao salão aspergindo gotas do perfume francês Chalimar, que compra na Europa e faz questão de distribuir no Brasil, mesmo para quem não pediu. "Entrar nos Enxutos era pedir para ter uma enxaqueca", diz Cristal da Boemia, carioca que frequentou o baile por oito anos seguidos. "Era o cheiro de almíscar de uma brigando com o cheiro de jasmim da outra, com uma borrifada de Chanel número 5 por cima de tudo", diz Bonita.

Jacqueline Bláblábláparece não se incomodar. Roça ombro com amigas e cumprimenta dezenas de pessoas com um aceno das unhas vermelhas, uma piscada dos cílios trazidos de Paris ou um beijinho do gloss que encaixa entre os seios para reaplicar a cada música. É proibido encostar em Jacqueline durante o baile de Carnaval, e todas as paulistas sabem a regra de cor. "Eu pinto minha cara mais bonita do que a Monalisa para vir uma penosa e tirar a maquiagem com a pele grossa dela?", ela explica às amigas. Sua técnica é compartilhada pelas antigas. Mesmo em um salão apinhado de gente, o prudente é manter um braço de distância, ou a maquiagem das mais incautas vai parar na gola ou no ombro da fantasia alheia, deixando ambas descontentes.

O Baile dos Enxutos é, na verdade, formado por duas festas. Há o salão por onde Jacqueline anda, com uma taça de champanhe na mão e um cigarro na outra, e há a passarela do concurso de fantasias. Nela, só pisam as travestis e transexuais inscritas para a competição, que termina perto da meia-noite. O concurso é assunto sério para as competidoras, que são avaliadas por um júri composto de estrelas de projeção nacional. Em 1981, o novelista Gilberto Braga e a atriz Ângela Leal são dois dos convidados, e acabam de dar o veredito quando Jacqueline chega.

O resultado deixa uma vice-campeã furiosa. Vivi Anderson berra ao lado da banda. "Isso é marmelada! Mar-me-la-da!" A morena está fula por ter perdido o concurso de melhor fantasia com sua cascata de penas e de paetês verdes, azuis e vermelhos, que chamava *Paradis Latin*.

Imitando o timbre roufenho de Chacrinha, o vocalista da Banda Internacional Carnavalesca Capixaba tenta ignorar os gritos de protesto da segunda colocada. O homem pega o microfone e grita na sua voz mais potente: "As mulheres de hoje serão os homens de amanhã!". A banda acorda e os metais começam a berrar, enquanto o vocalista puxa o coro da marchinha mais tocada do Carnaval do ano anterior.

Maria Sapatão
Sapatão
Sapatão
De dia é Maria
De noite é João

Jacqueline começa a sorrir. Joga os braços para cima. Rodopia no salão. Dá a taça para uma das filhas, mas mantém o cigarro.

É um barato
É um sucesso
Dentro e fora
Do Brasil

Enquanto dança pelo salão, Jacqueline aponta para as europeias, as mais femininas, as que de fato são um sucesso, dentro e fora do Brasil, como ela havia sido. Na brincadeira de identificar quem é quem, ela levanta o dedo para Suzi Wong, que brilha no Carrousel de Paris, e para Marcella, outra brasileira que conquistou status de estrela no Velho Continente.

E então, Jacqueline Bláblábá desaparece na multidão — mesmo uma estrela pode passar batida no Baile dos Enxutos. A não ser que você seja a atriz mais famosa do mundo. Sete anos antes de Jacqueline submergir no mar de gente, em 1974, uma Liza Minnelli recém-divorciada voou até o Rio para conhecer o Carnaval e acabou no Baile dos Enxutos, onde foi a grande atração da noite. Enquanto algumas das frequentadoras pediam para tirar foto com a atriz norte-americana, outras se queixavam de que seu único momento de atenção do ano tinha sido usurpado por uma das maiores estrelas do mundo. "Eu faço calo no joelho o ano todo para comprar fantasia, e chega essa gringa tampinha e o baile para por causa dela", se queixou Miss Itália para a revista *Fatos & Fotos*.

Mas, em 1981, Jacqueline Blábláblá é só mais uma. Não é a cafetina mais temida do centro de São Paulo. É uma foliã disposta a rasgar a fantasia. E pouca gente lembra do que ela fez ou deixou de fazer no salão. "Até porque não se fala dos Enxutos", ensina Kelly Cunha. "Era o nosso único momento de liberdade. Ninguém estava ali a negócio. A gente estava ali para o nosso prazer." Um prazer que passa pelo terceiro andar do cineteatro, onde estão empilhadas as cadeiras que geralmente lotam o salão. "Eles enchiam aquele andar de cadeiras, e formava um labirinto. E é nesse labirinto meio escuro e misterioso que as coisas aconteciam. Você vê o gringo no salão, sorri, pisca e, quando viu, já está no terceiro andar", lembra Margot Minnelli.

O que se sabe do baile de 1981 é que ele teve a mesma proporção de alegria e de drama. Há mais gente inconformada ali dentro além de Vivi Anderson. Darbi Daniel, homem de confiança de Silvio Santos e figurinista de pornochanchadas, chora sentado em uma mesa, com um copo de uísque que parece estar sempre vazio, por mais que um garçom não pare de enchê-lo. "Roubaram a cabeça do meu pica-pau em pleno aeroporto e ninguém, ninguém mesmo, conseguiu encontrá-la. Vê só que lixo que acabou ganhando", diz Darbi para um repórter, e aponta para a rainha da noite, uma travesti que veste só um biquíni e um esplendor de penas nas costas.

O choro de Darbi Daniel e a vitória da mulher sem nome são sintomas de uma mudança maior do que o furto de uma fantasia no aeroporto. No começo da década de 1980, a estética do Baile dos Enxutos está mudando, e deixando para trás algumas das frequentadoras mais longevas. Enquanto as antigas se desdobram para não repetir fantasias com nomes pomposos, como O-Encontro-da-Estrela-D'Alva-com-a-Inesquecível-Carmen-Miranda, as jovens vêm vestidas de brilho. Brilho nos diamantes que pendem por um fio do colo e das orelhas. Brilho dos maiôs e bodies transparentes. Brilhos da purpurina que frequentemente é a única coisa que cobre os corpos.

Em 1978, Eloína venceu o concurso de fantasias dos Enxutos com um biquíni de plumas importadas e foi a semente da discórdia. A mesma Vivi Anderson que está gritando ao lado da banda, e contestando o resultado do concurso de 1981, também havia se insuflado três anos antes. É que sua fantasia, Pássaro de Fogo, amargou um mero segundo lugar. As asas de pena de faisão e o corpo coberto de lantejoulas em três tons de vermelho perderam para a pele morena de Eloína. E isso, para uma geração que media o glamour pela metragem dos tecidos importados que vestia e pelo peso das pedrarias que costurava, era inconcebível.

Ao andar pelo Baile dos Enxutos, Jacqueline, na verdade, atravessa um salão tão dividido quanto um mar aberto. De um lado, as travestis e transexuais jovens com roupas que as antigas consideram lingerie: biquínis de strass e vestidos de tule sem nada por baixo. Do outro, as antigas ostentam fantasias enormes, com quilos de pedrarias, metros de renda e um sem-fim de paetês, comprados na Chez Posez, em Paris, onde a costureira madame Frivier cobra o equivalente a milhares de dólares em uma peça. O preconceito das antigas fica claro quando elas chamam de "pobreza" as fantasias minimalistas das outras. "Mal sabiam elas que hormônio custa dinheiro. Plástica custa dinheiro. Dentista custa dinheiro. Um corpo que nem o da Eloína custava uma fortuna", diz Kelly Cunha.

Jacqueline beira os quarenta anos, mas está ao lado das jovens nessa batalha. Ela mesma já está com os seios de fora menos de meia hora depois de ter chegado à festa. Não está só. Depois das três da manhã, mesmo quem havia chegado de roupa está pelada. Veruska abre o decote do macacão Courrèges original, e exibe os seios, com um cigarro na mão e um leque na outra. A cada vez que abana o rosto, a brasa do cigarro ganha mais vida, e brilha como um rubi.

O Baile dos Enxutos é só uma das festas da semana de Rei Momo. Além dele, há o Baile da Fuzarca, na Lapa, frequentado décadas antes por Madame Satã, e o Baile dos Cronistas Carnavalescos, no teatro João Caetano, que também são simpatizantes (ou, no mínimo, não são hostis) à presença de travestis. Mas o Baile dos Enxutos é o auge do Carnaval para esse grupo. Todas que têm dinheiro vão ao Rio. Ou quase todas, com raras exceções, como Marquesa, trancada em um hotel, e de outras ousadas que apostam num Carnaval ainda incipiente de São Paulo.

A boate Medieval, na rua Augusta, a passos da avenida Paulista, cria um baile de Carnaval para atender a esse público de deixadas para trás. "Todo ano a gente ia para o Rio e só encontrava paulista conhecido. Agora vamos ficar por aqui, esperando uma surpresa. Sabe lá se vem alguma surpresa no êxodo rural", diz Vic Glamour à *Folha de S.Paulo* no Carnaval de 1981.

Além de esperar uma migração masculina vinda do interior, as que ficaram em São Paulo também apostam no turismo internacional para abastecer o salão. Mas, às duas da madrugada, com a pista ainda com espaço para dar dois passos, percebem que alguma coisa não saiu como esperado — o Carnaval paulistano de 1981 é um velório. "*Mira, chico, la cosa está muy mala. No permiten nuestro trabajo, a nosotros nos persiguen, tanto de la de-*

recha cuanto de la izquierda, y incluso hay muchos asesinatos", diz à revista *Manchete* a portenha Mabel, vestida de viúva enlutada da cabeça aos pés, a não ser pela boca vermelha.

O baile do Rio, enquanto isso, só esquenta. A trupe das novinhas, com corpos esculturais e bronzeados cultivados em Cannes, é o brilho dos Enxutos naquele ano. A noite se adentra, o baile perde a compostura e as cinderelas se transformam em abóboras. Mesmo as classudas descem dos saltos. Depois das duas, as travestis e as transexuais confraternizam com o grosso do público, homens que vêm de todo canto do mundo seduzidos pelas fotos da imprensa. Dentistas suíços, engenheiros americanos, pais de família paranaenses. "Elas entram como damas e saem como lavadeiras, infelizmente", diz Miss Itália, a mais antiga das antigas, quando desiste do baile, às três e meia da manhã.

Por décadas, o Brasil acreditou que o baile dos Enxutos fosse uma festa de travestis, por causa da cobertura da *Manchete*. Mas o pesquisador James Green revelou, em um estudo de campo, que apenas uma em cada vinte pessoas ali dentro era travesti ou transexual. Ou seja, o quórum de simpatizantes, curiosos e admiradores era muito maior do que a própria comunidade T. Só que a mídia mostrava sempre as travestis mais exuberantes e as mulheres trans mais passáveis, com piadas hoje impensáveis, como a legenda "E pensar que na Quarta de Cinzas eles estarão de barba e de terno" embaixo da foto de três travestis sorridentes de topless.

O Carnaval de 1981 seria o último do Baile dos Enxutos no São José. No ano seguinte, ele passaria a ser feito na zona Sul da cidade, região mais rica do que o centro, e adotaria um nome mais pomposo: o Baile Internacional de Gala. Nos anos seguintes, a *Manchete* perderia espaço na cobertura, com a chegada da televisão ao vivo nos bailes de Carnaval. A TV Bandeirantes começaria a cobrir o Gala Gay, com Otávio Mesquita, Rogéria e Monique Evans.

Por alguns anos, os Enxutos se encontrariam no Clube Olímpico de Copacabana. A festa ainda teria anos de vida, com cenas memoráveis como Elza Soares, com um vestido de paetês prateados, cantando à capela em 1985. Mas alguma coisa se perdeu quando a festa deixou o centro do Rio.

"Tenho visto velórios mais animados", escreve Renato Sérgio, que conta sete travestis no baile de 1983. O público não segue o movimento dos Enxutos quando o evento migra para a região mais rica da cidade. Pelo contrário, famílias da zona Sul enchem a porta, "Como quem vai ver um ET em carne e osso", narra a crônica de Renato Sérgio. Jacqueline, nessa época, já teria deixado de passar o Carnaval no Rio. O Baile dos Enxutos se transformaria em uma festa de ricos antes de morrer. Deixaria de existir a mistura de travestis finíssimas vindas da Europa com profissionais do sexo do subúrbio do Rio, que ganhavam mal mesmo para os parâmetros locais. A divisão do Carnaval carioca só se intensificaria nos anos seguintes — o lado rico, a zona Sul, e o pobre, o centro.

O Baile dos Enxutos ganharia rivais como o Gala Gay. Em 1982, inclusive, uma morena de dezoito anos e um metro e oitenta ganharia o título de "Miss Brasil Gay" no baile. Em maio de 1984, a mesma vencedora estaria na capa da Playboy. O Brasil todo conheceria o rosto, o corpo e o nome de Roberta Close, eleita a mulher mais bonita do país.

Jacqueline, enquanto isso, tem uma cobertura bem mais modesta da mídia, mesmo frequentando o Baile dos Enxutos por uma década. Há um único retrato seu no Baile. Na revista *Manchete* especial de Carnaval de 1981, no canto da página 85, há uma foto pequena. Nela, há três pessoas. A mulher perto da dobra da revista é Jacqueline, vestindo um body de tule com brilhos costurados sobre o torso, enquanto os seios estão cobertos por uma camada de transparência. Na legenda: "Gilberto Braga numa boa com Rose Sexy e Jacqueline Welch Monroe".

É um mistério, até para as amigas, por que a rainha da noite paulistana saiu com um sobrenome a mais. Mas lá está Jacqueline, olhando para a câmera, o cabelo loiro preso com laquê em um coque e um sorriso raro e brilhante no rosto.

DE MARQUESA A VIRGÍNIA

Marquesa chega à maioridade em março de 1981, deitada numa cama de viúva de um hotel sujo no centro de São Paulo. É a tarde do seu aniversário, e ela está sobre um desconhecido, de costas para ela, enquanto um urso de pelúcia se esconde debaixo da cama. Aos 21 anos, Marquesa tem quase dois metros de altura. Seus músculos parecem contrariar a rotina de cativeiro, e são tonificados e definidos. Quando se move em cima do cliente, cada parte do seu corpo se pronuncia, como se sua pele não passasse de um lençol entre ela e o mundo. Marquesa é uma aula de anatomia ambulante. Mas, ainda assim, tem medo do homem sob ela, dois palmos menor, franzino em tudo a não ser na barriga, que denuncia um problema no fígado. Depois de trazer o terceiro cliente do dia, Zé Leôncio decide entrar no quarto. Vai se dar um presente, por mais que o aniversário seja de Marquesa. Está bêbado, como costuma estar depois das dez da manhã.

Ele leva a mão para perto do zíper da calça, enquanto anda em direção à cama, depois que o cliente deixa o quarto. "Eu não quero", diz Marquesa, com sua voz grave. Ele baixa a mão e abre o zíper. "Eu não quero", ela repete. Ele saca o que está dentro da calça. Em vez de repetir "Eu não quero", Marquesa se levanta e empurra o homem. Empurra com tanta força que ele é expulso do quarto e vai parar no corredor. O corpo ricocheteia no batente da porta e ele cai da escada em caracol de concreto, e rola da escada do primeiro andar até o asfalto da rua Rego Freitas. Marquesa desce atrás dele. Para a alguns metros de onde ele caiu, como quem cogita conferir se o homem está vivo ou morto, se quebrou algum osso. Depois anda até o corpo inerte, mas não se agacha. Vira de costas e entra no prédio. Quando volta a descer, dali a cinco segundos, tem alguma coisa aninhada ao colo. É o urso de pelúcia preto. Marquesa levanta um pé, depois o outro, e passa por cima do homem que um dia achou que tivesse amado. Está na rua, sem um centavo. E na rua ela fica.

Dorme na praça da República. Volta a viver de doações e esmolas. Ela sabe que poderia ganhar dinheiro com sexo, mas não tem ideia nem de por onde começar. Acostumada aos anos que passou presa em um hotel, se esqueceu de como outros jovens se viram ali, qual é o código para pescar um cliente, para onde levá-lo depois da conquista. Mas não passa nem uma semana na mendicância. Em uma tarde quente, é parada por uma travesti desdentada, com o rosto marcado por uma cicatriz que divide o lado direito em dois. "A bicha chegou agora em São Paulo?", a desconhecida pergunta a ela, com ternura. Constrangida de dizer que não, que nasceu a metros da avenida Paulista e que é filha de pessoas conhecidas na escola do samba do Bixiga, ela só arranha um "Aham".

"A Xepa pode te ajudar. Vem comigo." Mesmo desconfiada, Marquesa a segue. As duas andam meia hora até o edifício Luiz Cardamone, um prédio residencial na avenida Nove de Julho, a quarteirões da casa dos pais de Marquesa.

A travesti da cicatriz não toca campainha. Bate palmas. E, na janela do primeiro andar aparece a cabeça de uma mulher de idade, com peruca crespa de náilon.

"Xepa!", grita a mulher. "Tem bicha nova!"

Xepa desce para abrir o portão. Quando vê Marquesa de frente, diz: "Bem-vinda à pensão da Xepa". Xepa é Xepa Riso, uma travesti que está mudando de ramo. Ela, que tinha sido uma das primeiras vencedoras de concursos de miss, já começava a transição para caricata — travesti que faz números cômicos com maquiagem exagerada, na intenção de ser ridícula, o equivalente a um palhaço na comunidade. "Naquela época era assim. Você podia ser bonita até os 35, quarenta. Passou disso, ou tava morta ou tinha virado caricata", diz Riso. E Xepa não ia se aposentar tão cedo. O batom, que antes era aplicado com precisão nos limites dos lábios, passou a ser uma mancha vermelha e propositalmente borrada, tanto na cara quanto no dente. Meses antes, Xepa havia começado a usar uma peruca crespa e sintética para fazer personagens cada vez mais burlescos.

Quando Marquesa chega ao primeiro andar, Xepa a recebe de fantasia. É como se fosse uma boneca de piche, uma representação racista da mulher negra que ela de fato é. O lance de escadas até o apartamento de três quartos é curto, mas longo o suficiente para que Xepa explique as regras da casa: o aluguel é de um salário mínimo por semana, os pagamentos são feitos às sextas, cada uma lava a própria louça, a comida é cobrada à parte. E a última dica é "Eu não quero saber como você vai ganhar seu aqué. Mas você vai ganhar seu aqué". Aqué, Marquesa está cansada de saber, é dinheiro.

As duas entram no apartamento no momento em que as outras inquilinas estão começando a acordar. São quinze pessoas em um apartamento de três quartos. Xepa dorme na sala. "Quer descansar hoje? Acho que você tá precisada", oferece a cafetina. Marquesa vai até o quarto que a dona da casa indica. As três camas de solteira estão ocupadas. No canto, tem um colchão velho, sem lençol nem travesseiro. "Essa é sua cama", aponta.

Quando Marquesa acorda, o sol está quase se pondo. Sai do

quarto e encontra um sofá cheio de travestis voltado para ela, como se fosse a bancada de um júri. Todas a olham de cima a baixo.

"E você é quem?", pergunta uma.

"Marquesa", responde a novata, com a voz mais feminina e discreta que consegue produzir.

Uma delas responde com um "Quê?!".

"Eu sou a Marquesa", repete.

"Não, você não é a Marquesa", responde outra, que está no canto oposto do sofá. E todas riem, como se uma piada inaudível tivesse sido contada.

A frase tem graça porque uma travesti novata dizer que chama Marquesa é como uma cantora do interior chegar à cidade grande dizendo que seu nome é Madonna. Dentro do seu hotel da Rego Freitas, ela era a única Marquesa. Seu nome era uma criação única e original. Mas no primeiro dia de pensão descobre que há outra travesti, uma antiga, que já fizera fama com o mesmo nome.

"E você é o quê, bicha?", pergunta uma das moradoras do apartamento.

"Eu sou travesti", responde Marquesa.

"Travesti sem peito, sem silicone, sem cabelo e com roupa de homem? Isso é ocó, é pedreiro, não travesti", a outra diz.

Xepa, que está na cozinha, larga a panela e bate palmas. "Vamo com calma, ô, piranhas? É um erezinho ainda, a menina. E vocês gongando ela assim, parece que já nasceram com teta e buceta, né?" As outras riem. E deliberam um novo nome para a caçula. "Você não é a Marquesa", diz a mais velha, uma loira que atende por Caroline de Mônaco. "Você é a Virgínia."

Marquesa aceita o novo nome em silêncio, sem saber de onde ele veio. Segundo Caroline, é porque a novata tinha cara de pura, de incauta, de virgem. Com o tempo, vai conquistando cada letra dele. É a mais calada da pensão, mas ajuda as colegas a pentear uma peruca, fazer uma trança, e é boa companhia para quem quer acordar mais cedo e assistir desenho animado na televisão. "Ela ria que nem uma criança. Aquele corpo todo, e só queria ver desenho", conta Caroline de Mônaco. Em questão de semanas, as outras já a chamam de Vi.

Enquanto luta para conquistar um nome, Virgínia também pena para aprender um novo ofício. Por mais que já trabalhe com sexo há nove dos seus 21 anos de idade, é a primeira vez que vai trabalhar na rua, a não ser pelos poucos dias que fez trottoir na praça da República. Para ela, o trabalho em si é fácil. "As pessoas acham que se prostituir é uma coisa de outro mundo. Mas é fazer todo dia a mesma coisa, que nem numa fábrica. Fantasia de malandro é tudo igual, tem meia dúzia só. No primeiro mês de viração, você já fez todas. Dez, vinte vezes cada uma", ela vai dizer a um dos três estudantes de jornalismo que a entrevistaram nos anos 2000, quando já é chamada de Cristiane Jordan.

A novidade, para Virgínia, era estar exposta a um mundo muito maior que o hotelzinho onde passou os primeiros anos de profissão. Na rua, é ela quem precisa caçar, conquistar e convencer os clientes a pagar por seus préstimos. Se já não fosse difícil o bastante, ainda tem de respeitar uma regra local: as prostitutas mais jovens são as que ficam nos piores quarteirões do centro. As ruas mais escuras ficam para as novatas, como ela, ou as consideradas menos promissoras pelas cafetinas. As mais bonitas, mais siliconadas e mais dotadas ficam nos pontos com iluminação melhor ou onde o tráfego de carros é mais intenso. A única exceção é uma esquina proibida, o encontro da Rego Freitas com a rua da Consolação, onde ninguém bate ponto. Lá é o Palácio de Jacqueline Bláblábla.

Seu primeiro ponto é na rua Santa Isabel, já perto do largo do Arouche, em um quarteirão escondido, onde quase não passa carro. Ainda assim, o fator novidade joga a seu favor. Faz três ou quatro programas numa boa noite. O dinheiro permite pagar o aluguel toda sexta, mais as marmitas que Xepa compra de uma vizinha. No fim, sobra menos do que o equivalente a um programa por semana. Virgínia vai aprendendo o riscado. As regras que ela mesma vai impor e aprimorar dali a uns anos, quando chegar ao seu terceiro e último nome, Cristiane Jordan, e for chamada pelas costas de Cris Negão.

Com o tempo, ela nota que existe uma fronteira invisível para a prostituição. As colegas trabalham da praça da República até a rua Amaral Gurgel e os limites laterais vão da rua da Consolação até o largo do Arouche. Também parece haver um muro invisível e intransponível: além do centro, quase não há prostituição, que termina no Minhocão. No começo dos anos 1980, algumas meninas atravessam para a praça Rotary, na Vila Buarque, um bairro de classe média que dali a alguns anos será um dos pontos mais animados para o mercado do sexo. Uma delas é Virgínia. Ela não tem medo, cruza por baixo do viaduto e começa a subir as ruas que levam aos bairros mais ricos.

Se um administrador de negócios fosse analisar o movimento de Virgínia, diria que ela empreendeu, que ousou ao criar um novo mercado onde, até então, quase não havia oferta. Virgínia foi das primeiras travestis a vender sexo entre casas de famílias abastadas. Ao fim do seu primeiro ano de rua, está no parque Buenos Aires, um quarteirão verde no coração de Higienópolis, um dos bairros mais ricos de São Paulo. Está lá sozinha, encarando a cidade de frente. E não passa uma noite sem que ouça ofensas: xingamentos racistas e transfóbicos. Ditinha, por exemplo, conta que tinha cogitado ir para a viração, mas desistiu depois de uma curta e dolorosa experiência ao ouvir frases como "Vai jogar futebol, João!", "O negão finge que não tem tromba" e, a mais frequente, um xingamento racista que partia de carros em alta velocidade: "Macaco!", toda noite.

O preconceito existe, e não se restringe à rua. Está gravado em vídeos de apresentações em boates. Um, feito na década de 1990, mostra como piadas racistas circulavam sem constrangimento. Lenka Saad, a rainha do humor ácido, está no palco da Nostromondo. Ao seu lado, está uma travesti negra. E Lenka começa a fazer piadas racistas. "Você sabe que bicha preta é reciclável?", pergunta. A plateia grita e assovia. Lenka faz uma pausa, para se justificar, como se a consciência tivesse pesado: "A bicha é maravilhosa, ela vai entender". Mas continua: "É reciclável, né? Com o cabelo dá pra fazer bombril. Do corpo, carvão. E da nena dá pra fazer esterco. É uó, né, bicha?". A plateia gargalha e aplaude. O rosto da mulher se fecha em uma expressão que pode ser constrangimento, ou raiva. Lenka continua e pergunta que hormônio ela toma e se já se apresentou no programa Silvio Santos, mas a mulher não volta a sorrir.

O racismo não é nada inédito na vida de Virgínia, está presente há pelo menos uma década. A novidade do momento vem na forma de luzes: é o medo de um giroflex de carro de polícia. Quando uma onda de luz vermelha e azul lava a rua, é o sinal de que chegou a hora de correr. E Virgínia corre como ninguém. Consegue sair do campo de visão de policiais e subir em figueiras, ou se agachar no meio de espinhos. Mas como quase toda noite é um risco, acaba apreendida. Da primeira vez que "cai", como as travestis chamam a apreensão, passa três dias numa cela de delegacia na Santa Ifigênia com outra dúzia de travestis. Os policiais jogam baldes de água suja e gelada no chão para evitar que elas deitem. "É de enlouquecer. A pior coisa do mundo", diria, anos depois.

Mas há coisas piores, como ela descobriria em meses. Virgínia está na praça Buenos Aires quando um carrão para. Um homem com a metade da idade dos seus clientes habituais pede que suba. É raro ser levada para dentro de casa, ainda mais para um apartamento espaçoso nos Jardins. Depois do sexo, o cliente veste a roupa o mais rápido possível, como se estivesse fugindo de um incêndio. "Vai embora", diz, de costas viradas. Virgínia já pressente um calote. "Vou embora bonita, mas com meu aqué", ela responde. Ele se vira e a olha com asco. "Olha para o espelho com essa cara, pra mim não. Porque quem foi a mulherzinha foi você", diz ela. O homem abre a gaveta, se vira e dispara seis tiros no seu peito, sem dizer uma palavra. É das poucas vezes na vida em que ela sente medo. Mas as probabilidades de novo falham em escrever a história de Virgínia, que sobrevive aos tiros e passa um mês internada no Hospital das Clínicas da Universidade de São Paulo, a menos de um quilômetro de onde quase é morta.

Virgínia não comenta o episódio com ninguém, a não ser nas raras vezes em que o narra para a melhor amiga e para a líder espiritual de quem se torna devota já nos anos 2000. Pelo resto da vida, vai usar um colar. Em vez de diamantes, seu colo vai ser ornamentado por seis cicatrizes redondas com bordas irregulares, quase como se fossem asteriscos. Elas ficam em relevo sobre o resto da pele e também são mais escuras. Depois de alguns anos escondendo as cicatrizes, Virgínia passa a usar vestidos decotados quando já conquistou seu lugar como rainha do centro, e se alguma desavisada encara as cicatrizes, pode receber um tapa para aprender a não pousar o olho onde não deve. Se está de muito bom humor ou já passou da sétima cerveja, pode até fazer uma piada a respeito. Quando está bêbada, relaxada e em meio a amigas, ela chama as marcas de "minhas joias".

Quando volta para a pensão, Virgínia ganha um abraço de Caroline de Mônaco. A colega a puxa de canto até o banheiro, onde abre o armário escondido atrás do espelho. Tira de lá um papelote achatado. É uma lâmina de barbear. "Essa é a Gigi, a sua melhor amiga", ensina. Caroline quebra a lâmina pela metade, horizontalmente, e enfia no fundo da boca, entre a bochecha e a gengiva superiores. Sorri para Virgínia, para mostrar que não incomoda. "Dá para fazer tudo, a Gigi nem atrapalha", ela brinca, antes de simular estar engolindo um objeto roliço, que mimetiza com a mão. Daquele momento em diante, Virgínia passa a sair com duas metades de giletes, uma de cada lado da boca. Da próxima vez que "cair", para a polícia ou para um cliente, vai poder se defender.

Virgínia tem duas táticas para sair da cadeia. A primeira, muito mais simples, é oferecer um suborno com outro nome, um *cadeau* (ou presente em francês), que aprendeu com as antigas. Toda travesti entregava tudo o que tivesse no bolso, na bolsa e escondido na calcinha aos policiais. "Eu dizia que íamos fazer uma vaquinha, um *cadeau* para dar a ele um dinheiro para o café, porque não éramos ninguém para subornar." Virgínia jogava uma nota de 50 mil cruzeiros antes das outras, e costumava ser a primeira a ser libertada, por ter sido a líder do *cadeau*.

Mas, na noite em que a oferta de *cadeau* não é nem ouvida, e ela é presa, apela para um segundo método. Espera meia hora para agir e enfia o dedo na boca, como se quisesse forçar vômito. Mas não mantém o indicador na garganta. Movimenta o dedo para cima e para baixo e tira alguma coisa que parece uma folha de papel, mas brilha. A gilete. É o último recurso para não ficar no xadrez. Antes que alguém a veja, faz dois cortes horizontais e paralelos no alto do braço, perto de onde fica uma marca de vacina. A folha metálica a corta em silêncio e deixa um trajeto de sangue. "A loucura é tanta que a gente nem sentia dor quando se cortava. É a adrenalina de ser presa, de saber que se os alibãs nos pegarem com gilete vamos levar uma surra e apodrecer na cadeia. É uma loucura tão grande que a dor é o de menos", explica Caroline de Mônaco. Em poucos minutos, estão todas as travestis da cela gritando.

"A bicha tá jorrando!"

"Alguém tira essa louca daqui!"

O fuzuê obriga os policiais a levarem Virgínia para um hospital, geralmente a Santa Casa de Misericórdia, um conjunto de prédios de tijolo a quarteirões do hotel onde ela morou na Rego Freitas. Mas algumas vezes vão ao Hospital das Clínicas.

A cardiologista Maristela Monachini se lembra de uma madrugada na década de 1980 em que seu plantão como interna do pronto-socorro do Hospital das Clínicas foi interrompido por um caso que não era uma urgência médica. No meio da madrugada, chegam dois policiais civis acompanhados por uma travesti. Eles chamam a médica de canto. "Uma equipe da polícia queria que a gente fizesse raio X do trato digestivo, para descobrir se ela havia engolido joias roubadas." Os médicos não entendem se o pedido faz parte de suas funções, mas realizam o exame.

Como é apreendida com frequência, e tem pressa para sair, Virgínia faz a navalha brilhar várias vezes. As cicatrizes de Gigi vão se acumulando umas sobre as outras. São riscos horizontais de queloides nos antebraços e nos pulsos, como pintura de guerra. Cada corte é a marca de uma noite em que ela caiu. Uma batalha que perdeu em uma guerra que está se agravando. A partir de meados dos anos 1980, as prisões de travestis passam a ser regra. Se, antes, antigas como Miss Biá eram discriminadas e constrangidas a ir até a delegacia, pelo menos eram discriminadas com certa elegância. "A partir dos anos 1980, a polícia começou a tratar travesti que nem lixo. Que nem saco de lixo mesmo. Pegavam, jogavam no camburão, maltratavam no caminho da delegacia e, quando chegavam, maltratavam ainda mais. Foi quando deixamos de ser sujeitos humanos", diz Ditinha.

Na época, a polícia negava discriminação e maltratos às travestis. Justificava as ações com dados como "80% das travestis são prostitutas e criminosas. Algumas de alta periculosidade", como diz o delegado Guido Fonseca em uma entrevista. Não há fonte para essa informação, que não vem de pesquisa acadêmica ou de levantamento feito pelo poder público. É provável que tenha nascido no corredor da delegacia, na mente de um delegado que determinou que toda travesti fosse levada para ser fichada e ter a foto tirada para que se avaliasse seu grau de "periculosidade", mesmo sem nenhuma acusação ou evidência de crime. A travestifobia começava a se institucionalizar, e em poucos anos se transformaria em um massacre. Mas, no começo dos anos 1980, a classe média urbana brasileira ainda tinha pouco contato com esse mundo.

Em uma noite de 1982, o programa *Ronda da Madrugada* consegue filmar o que acontece dentro da sala de um delegado com uma travesti detida. A cena a mostra nua no gabinete, que faz jus à imagem genérica de uma repartição pública: mesa de madeira, gaveteiros de metal, chão de encerado. A travesti, que está com as mãos no cabelo, tira os grampos que prendem a peruca à cabeça, e fala, com a voz baixa, olhando para o chão: "Eu acho isso um vexame, tirar a peruca. Não tem nada a ver, tirar a peruca". "Você é mulher, então?", pergunta uma voz de homem, provavelmente o delegado, que está fora de quadro. "Ah, operou." Um segundo homem, que também não aparece na filmagem, grita: "Operou nada! Puxa aí!". A mulher olha para cima e pergunta: "Puxar o quê, meu bem?". "Puxa! Vira de costas para mim e abaixa." Na sala de uma delegacia no centro da maior cidade da América do Sul, uma travesti apreendida por estar na rua se vira de costas para dois homens e é obrigada a se agachar contra uma parede, para que eles possam avaliar sua anatomia. Uma clara violação dos direitos humanos de alguém que não é acusado de crime nenhum. Depois de analisar o corpo da travesti agachada, o delegado sentencia: "É, não operou, não".

A câmera desliga. Não se sabe qual é o desfecho dessa interação da polícia, que detém o poder, com uma pessoa que não tem nenhum direito assegurado. Não está claro de que crime ela é acusada, ou qual é o sentido de tirar a roupa de uma mulher em um escritório público, a não ser humilhação esportiva. Sadismo. Essa é uma cena que se repete milhares de vezes no relato das travestis que circulam no centro paulistano nos anos 1980.

Com o tempo e a coleção de caídas, Virgínia monta um protocolo de como lidar com a polícia. Se vê uma viatura, foge e se esconde, sobe em árvores com o corpo atlético. Caso dê errado, se debate ao ser apreendida, e grita frases como: "Me leva! Me leva, mas eu vou fazer da delegacia um inferno! Você sabe quem eu sou!". Se os policiais não se intimidam com os gritos, tenta fazer uma vaquinha com as outras travestis presas, para dar um *cadeau*, que, se recusado, leva à gilete.

No primeiro ano em que mora na pensão, ela chega a pensar em largar a noite. Começa um curso de maquiagem oferecido pela prefeitura de São Paulo. Poderia ter aprendido no curso como esconder do mundo, com base e corretivo, as cicatrizes que leva nos braços, mas, na primeira aula se dá conta de que esqueceu de um detalhe importante. Ela mesma detesta maquiagem. Quando está muito disposta, passa uma sombra azul nos olhos, com o dedo mesmo, e batom na boca. E só. Ela vai a três aulas para nunca mais voltar. E torna a dar ponto na rua, sete dias por semana, 31 dias por mês, nos meses que têm 31 dias, e 365 dias por ano.

Numa noite do fim de 1982, ela é apreendida pela enésima vez. É levada para a delegacia, mesmo aos berros. O delegado recusa o *cadeau*. Virgínia então tira a lâmina do fundo da boca, respira fundo e abre talhos no braço. Todas gritam, e ela é retirada da cela. Virgínia vai para a Santa Casa de Misericórdia de São Paulo. Lá, passa o resto da noite em observação. E então é liberada. Sente vontade de ficar na rua. Mas alguma coisa a atrai de volta para o apartamento na praça Catorze Bis.

Xepa está acordando quando Virgínia chega. A porta se abre e a dona da casa pergunta: "Bicha, você tá bem?".

Virgínia só balança a cabeça, séria.

"Quer sentar, tomar um café?", oferece a cafetina.

Virgínia se senta em frente a Xepa, na mesa da cozinha. Sussurra alguma coisa que Xepa não consegue entender.

"Leite Moça."

Xepa pega no armário uma lata de leite condensado. Faz um furo grande de um dos lados da tampa, e outro menor no lado oposto, para o oxigênio entrar quando o doce sair. Virgínia pega a lata e, com o mindinho levantado, entorna quase a mesma quantidade de leite condensado na xícara meio cheia de café. Xepa começa a dar risada.

Pela primeira vez em muito tempo, Virgínia sorri. E Xepa sorri de volta. É sexta, mas a dona da casa não cobra o pagamento semanal naquele dia. Dá um prazo de uma semana para ela se recompor. Ali é firmado um acordo íntimo e mudo entre as duas. Um acordo que Virgínia levaria para o resto da vida. Em poucos meses, ela vai sair da pensão e deixar de ser cafetinada por Xepa, mas as duas seguirão se respeitando. Quando se cruzarem na rua, vão sorrir uma para a outra. E, se a mais jovem estiver num dia bom, vai se agachar para abraçar Xepa. Vai elogiar seu perfume e perguntar de onde é, por mais que saiba que é água de colônia de alfazema, comprada em farmácia.

Quando Virgínia se tornar Cristiane Jordan, também será mais generosa, ou menos severa, com as prostitutas que fossem como ela. "Ela nunca batia em preta. Nunca. Parecia uma lei da cabeça dela. E ainda falam que a cabeça dela não tinha lei", diz Ditinha.

"QUER BICHA BONITA?"

Um jovem afeminado está no encontro da avenida Paulista com a rua da Consolação, estendendo o braço a cada pessoa que passa. "Quer bicha bonita?", pergunta para um engravatado. "Quer bicha bonita?", pergunta para uma senhora. "Quer bicha bonita?", pergunta para um jovem, a primeira pessoa em minutos a não ignorá-lo. Esse rapaz, o DJ Marcos Munk, pega o panfleto que o menino oferece. Olha para o papel e lê MISS SÃO PAULO — CONCURSO DO MAIS BELO TRAVESTI. A filipeta revela quem vão ser as estrelas da noite. "Apresentação: Andréa de Mayo. Direção: Xepa Riso", e faz uma promessa ambiciosa: "O melhor som da noite".

Em 1983, Andréa de Mayo já se firma como uma estrela na noite de São Paulo. Em vez de fazer shows, se especializa em apresentar outras artistas. É uma mestre de cerimônias polida, com um visual de tapete vermelho do Oscar. Sobe ao palco com o cabelo crespo tingido de ruivo, vestido longo de cetim estampado, luva até o cotovelo. Uma plástica no nariz afilou seu rosto, que à noite nunca é visto sem maquiagem.

Andréa é uma espécie de fada-madrinha. Está um degrau acima de quem se apresenta, seja pelo dinheiro ou pela posição social. É uma artista que já atuou em peça de Chico Buarque, não precisa de validação ou dinheiro, está ali por escolha, não sina.

"E vamos conhecer a vencedora de hoje", diz Andréa, dentro de um vestido com cauda sereia e milhares de lantejoulas bordadas. "A Miss São Paulo Travesti 1983 é...", ela ri, enquanto faz suspense. As candidatas, no fundo do palco do teatro Odeon, na rua Aurora, não riem. O jovem jornalista Leão Lobo pergunta: "Mas quem é, Andréa? Fala logo!". Depois do gracejo, ela anuncia: "Kika Piancassela!". A morena de cabelo armado que estava roendo unha ao fundo do palco vai até o holofote, ao lado de Andréa. Recebe uma faixa, uma coroa e um abraço. Kika não consegue falar, só chora. Andréa a abraça, sorrindo, e sussurra no seu ouvido: "É o seu momento. Não joga ele no lixo chorando feito um bebê. Fala, bicha!". Andréa é uma matrona e optar por ser mestre de cerimônias ainda jovem, quando podia estar competindo, é como se ela sinalizasse ao mundo que é hors-concours. Aos trinta anos, Andréa já é uma antiga.

Mora em uma casa na Vila Mariana, que comprou com a venda, dessa vez verdadeira, do apartamento no condomínio Jardim do Reno. O bairro não é perto do centro, são seis quilômetros que consomem vinte minutos de carro, mas criam uma distância muito maior entre a vida noturna e a burguesa do dia a dia, no bairro de classe média alta onde não há outra travesti. Ali, Andréa é uma senhora de respeito que ganha dinheiro com negócios escusos. Na primeira metade da década de 1980, ela já é uma das maiores cafetinas da cidade.

Sua tática é parecida com a de Jacqueline Blábláblá, que é parecida com a de Xepa Riso. Ela contrata travestis antigas, que não conseguem mais se sustentar com sexo, para escrutinarem as ruas da cidade. Quando veem uma pessoa fragilizada e afeminada, geralmente vinda de fora, a olheira conduz a novata até sua casa. É o que acontece com Pamela, uma baiana de Vitória da Conquista que chega a São Paulo de ônibus no meio de 1983, com dinheiro para uma semana de hotel e mais nada.

Pamela está sem emprego quando é encontrada por uma olheira, perambulando pelo comércio do centro. Levada até o mesmo prédio da praça Catorze Bis, o edifício Luiz Cardamone, é instruída a tocar a campainha do segundo andar, logo acima do de Xepa Riso — é o apartamento de Andréa de Mayo. Quem a recebe é a própria, na visita diária que faz ao imóvel, pela hora do almoço.

"Olá", ela diz, a voz de veludo prolongando os ás. "Qual é seu nome?"

Pamela responde com o nome masculino que ganhou no batismo. Andréa diz: "Não. Esse é o seu nome de onde você veio. Qual é o seu nome de São Paulo?".

A jovem fica em silêncio. Pensa por alguns segundos. E, ainda titubeante, diz: "Pamela?".

"Pamela!", confirma Andréa. "Pamela, aqui é uma casa de travestis. Eu sou travesti. Todo mundo que está dormindo nos quartos é travesti. E a gente mora aqui, todo mundo junto."

"Eu não tenho dinheiro", diz a jovem.

"Mas vai ter", garante Andréa.

Andréa convida Pamela a ficar. Explica as regras do lugar: ela é a proprietária daquela pensão, onde moram travestis que se prostituem na noite. "Você vai conseguir pagar. A rua é um rio de dinheiro, uma beleza", garante. E promete todo o apoio que Pamela precisa para chegar ao corpo que deseja. "Você faz e vai me pagando aos poucos." Combinam que a praxe é pagar toda sexta. A conta é uma só, e inclui aluguel, comida e outros gastos.

Pamela entra nos quartos e descobre que a decoração é de orfanato, por mais que o preço seja de hotel cinco estrelas. Há três beliches de madeira clara em cada quarto, uma penteadeira para ser dividida por seis pessoas e um banheiro para servir cerca de quinze hóspedes. Andréa segue a tabela da vizinha, Xepa Riso, e cobra 10 mil cruzeiros, ou um salário mínimo, por semana de cada moradora. Um aluguel de quatro salários mínimos por mês. "Preferia ficar com a cafetina do que em hotel. Hotel não oferece segurança nenhuma", diz Pamela. "Na vida do hotel, você tem medo da polícia, do cliente, do dono do hotel e de quem está no quarto ao lado. Na vida da cafetina, você só tem medo da cafetina. É um medo só contra uma mão cheia de medos", explica Pamela. Essa segurança tem um custo, todas sabem. O aluguel de um apartamento no mesmo prédio custa menos que cada travesti paga para ficar lá por semana. Mas quem alugaria um apartamento para uma travesti?

Uma forma secundária de preconceito que elas sofrem na São Paulo dos anos 1980 é uma bolha de hiperinflação maior do que a do resto do país. Se na loja um vestido custa mil cruzeiros, passa a custar 3 mil se a cliente for uma travesti. O mesmo vale para serviços essenciais, como uma corrida de táxi. "Eu só pegava táxi de um conhecido. Sabia que ele atendia travesti e que não ia me matar. E pagava a corrida como se fosse para o aeroporto. Como se fosse sempre para o aeroporto", diz Xepa Riso. Tudo custa o dobro ou o triplo para uma travesti. O argumento de quem pratica a extorsão é de que vender para uma travesti é se arriscar a perder o resto da clientela.

Pamela passa a morar no apartamento 21 da praça Catorze Bis, um andar acima de onde Virgínia fica hospedada por quase um ano. Mas está longe de ser a única cliente do império imobiliário de Mayo. Na primeira metade dos anos 1980, Andréa já consegue comprar mais dois apartamentos, somando quatro imóveis em São Paulo. Mora em um e hospeda até quinze garotas nos outros, o que significa um saldo de 45 aluguéis mensais, ou 180 salários mínimos, sem contar os extras de comida e de tratamento estético.

A cobrança acontece de uma forma peculiar. Xepa não faz show em boate às sextas-feiras, porque precisa ficar plantada no portão do prédio, esperando cada uma das hóspedes voltar e pagar a taxa da semana. "Quem não pagava, não entrava. Simples assim. Tá sem dinheiro? Aproveita que tá na rua e já vai descolar algum", diz a dona da casa. Xepa defende o preço da pensão e a tática de cobrança, porque afirma que era um negócio cheio de risco. "Era caro ter cozinheira, faxineira, aluguel. E tinha calote. Meu Deus, como tinha calote. As bichas nunca queriam pagar. Para cada uma que pagava sem reclamar, vinham três pagar com xororô", diz Xepa.

Há também o risco de a pensão ser descoberta. Da primeira vez que um vizinho ou vizinha liga para a polícia, Xepa usa o mesmo argumento para os homens da lei: "São minhas hóspedes, minhas amigas de outros estados, estão aqui me visitando". A desculpa esfarrapada não cola sozinha e geralmente vem acompanhada de um maço de notas. Ou o pagamento é feito em outra espécie. "Quando o policial era muito interessante, já cantava ele, fazia um boquete, jogava uma travesti para ele se divertir. E, pronto, resolvido", diz Xepa Riso. Mas, quando o objetivo é manter a polícia longe dos negócios, a propina é mais comum que os favores sexuais. É o que Xepa Riso chama de "os impostos dos impostos". "O imposto do imposto é o seguinte: qualquer casa noturna, sauna, boate, você precisa molhar a mão para os policiais não interferirem. Ou não dá." Xepa precisa sempre lembrar da cota da corrupção quando vai fazer um concurso de miss em teatro, quando vai cobrar o aluguel das filhas e mesmo quando vai apresentar um número de comédia em uma sauna. "Eu mesma fazia a partilha do dinheiro, para sempre ter a cota da polícia. Tudo tem a cota da polícia", conta.

Andréa adota outra tática. Em vez de fazer o papel de porteira na entrada do prédio, ela permite que as inquilinas entrem e saiam como bem entender e cada uma tem uma cópia da chave. Ela só passa na casa uma vez por dia, para ver se está tudo bem. Prefere exercer o controle a distância, pela fama de durona que vem criando.

Até porque os negócios de Andréa vão muito além do aluguel. Ela oferece às hóspedes comida e serviços estéticos. Contrata depiladoras e cabeleireiras para atender as filhas nos apartamentos. As inquilinas não pagam direto para as profissionais, que são proibidas de receber dinheiro. A conta vem de Andréa de Mayo no fim da semana, sempre com a cobrança de uma taxa extra.

Além disso, ela intermedia um dos negócios mais lucrativos: a injeção de silicone. Mostra o próprio corpo, em formato de ampulheta, para convencer as novatas de que curvas rendem mais. "É um fusca de cada lado. E eles custaram o mesmo que um fusca, viu?", brinca Andréa, passando a mão nas ancas. Porque a aplicação clandestina de silicone também tem classes sociais. Há várias classes de profissionais especializadas em injetar silicone no corpo das travestis. Como o verbo usado na prática é "bombar" silicone, essa classe profissional leva o nome de bombadeira. E há bombadeiras de luxo, com um ambiente de trabalho limpo e formação em enfermagem, como Suzy Bolinha. Fazer uma bunda com Suzy Bolinha pode custar quase a mesma coisa que custaria em um hospital. "Minha bunda foi toda feita pela Suzy Bolinha", diz Kaká di Polly, que tem cinco litros de injeção em cada coxa, o que custou o equivalente a 5 mil reais.

Mas Andréa não leva as filhas na Suzy Bolinha. Ela marca horários em que uma bombadeira vai aos apartamentos. E a profissional a quem mais recorre é Caetana, uma pernambucana loira e muito magra, com olho e mão ágeis. Na primeira sessão de injeção em Pamela, Andréa faz questão de estar presente. A mulher sorri enquanto a agulha entra na pele do seu rosto. A morena aperta a boca imediatamente. O líquido, grosso e viscoso, se recusa a passar da seringa para o corpo humano. Caetana aperta com a mão, mas o êmbolo está emperrado. Então desmunheca a mão livre e usa o pulso para conseguir fazer o líquido penetrar a pele de Pamela, que se debate de dor. Andréa a abraça e começa a repetir, como se fosse um mantra: "Pommette, pommette". A paciente para de se debater. Faz cara de dor, começa a chorar.

Andréa sussurra no seu ouvido: "Fala comigo: pommette, pommette". "Pommette, pommette", repete a paciente, com uma lágrima se desprendendo do olho e começando a correr na bochecha, que se expande em tempo real. Pommette, em pajubá, é a maçã do rosto. Depois de cinco minutos, Caetana já soltou a seringa, e ocupa uma mão com um cigarro e a outra com um isqueiro. A jovem travesti ainda resfolega no sofá e Andréa abraça a filha. "Pronto, passou, passou." Pamela chora no colo da mãe profissional, que acaricia o seu cabelo liso, e diz que tudo vai ficar bem. Que a dor vai passar, um pouco por dia. O que não conta é que, antes de pagar Caetana, já marcou a próxima sessão. Na semana seguinte, ela volta para bombar as coxas e as nádegas da novata.

E a dor diminui a cada picada. A cada injeção de silicone, parece que os músculos lutam menos contra a entrada do corpo estranho, que empurra o tecido orgânico na luta interna por espaço.

Meses depois, a mesma pessoa que tinha medo de agulha estava com oito litros de silicone pelo corpo. A boca de Pamela está entumecida. Se antes ela quase não tinha lábio superior, agora exibe uma boca maior do que a de Brigitte Bardot. Seu torso passou de liso a ter dois seios do tamanho dos punhos de Andréa. Suas pernas ganharam curvas. "Era uma droga. Você injeta um pouquinho e na hora acha lindo. Mas daí, uns dias depois, acha que foi pouquinho demais. E põe mais um pouquinho", diz Pamela.

A questão não é apenas autoestima — é bom para os negócios. "Foi com o silicone que comecei a fazer programa. A fazer programa *mesmo*. Antes, paravam uns dois, três carros por noite. Quando eu estava bombada, com peito e com bunda, passou a parar dois, três de uma vez. Eu causava congestionamento", diz Pamela. "As pessoas tinham horror à cara de travesti, essa cara toda bombada. Mas, ao mesmo tempo, quem não tivesse cara de travesti não conseguia trabalhar na rua. Porque o homem que vai atrás de sexo com travesti, vai atrás de sexo com alguém que tem cara de travesti", explica Xepa Riso.

A estética de injetar preenchedores no rosto é a regra no mundo das travestis, e uma espécie de avó da harmonização facial que cairia no gosto da elite brasileira a partir dos anos 2010.

"Até a Roberta Close bombou a pommette. Quem sou eu para não bombar?", diz Pamela. E, de tanto injetar silicone na sua, um ano depois da primeira aplicação, Pamela ganha um sobrenome entre as amigas: Pamela Pommette.

E ela começa a ganhar dinheiro. Mas, mesmo atendendo a seis, sete, às vezes dez homens por noite, tem dificuldade para pagar a quantia que Andréa cobra. Uma quantia que nunca acaba — quando você acha que quitou o débito, uma fatura nova aparece, seja uma parcela de silicone imprevista ou um aluguel atrasado. "Não acabava. Não acabava nunca. Hoje, era mil do silicone. Amanhã, 1500 do picumã. No outro dia, mais 1500 do silicone de novo. E eu lá, trabalhando e trabalhando para jogar dinheiro em um buraco sem fundo", lembra Pamela.

Até que, depois de seis meses sendo explorada com o corpo novo, Pamela Pommette se recusa a pagar uma conta de uma aplicação de silicone que ela jura não ter feito. Diz com firmeza para Andréa que aquela cobrança está errada, que já quitou a dívida, e vai dormir.

No meio da madrugada, alguém abre a porta do quarto. Pela sombra, Pamela e as outras conseguem identificar Andréa. Atrás dela, vem um homem dois palmos mais baixo, mas duas vezes mais largo, quase um quadrado de carne. Andréa bate duas palmas, e todas acordam.

Andréa grita: "Tá dormindo em cima do meu dinheiro? Era pra tá na rua atendendo".

Pamela está com sono e confusa. Andréa fala um valor novo, um valor que Pamela nunca ouvira, e ainda maior do que a dívida que ela havia se recusado a pagar horas antes. Ela treme a ponto de as ripas do beliche fazerem barulho.

"Eu vou pagar", responde Pamela.

"Você já ia pagar na semana passada", diz Andréa.

"Mas agora vou pagar mesmo."

"Vai. Vai pagar mesmo." Andréa a puxa pela perna. Ela cai no chão de lado, sobre as costelas. O homem que acompanha a chefe ajuda Pamela a se levantar, mas não é por gentileza. Segura seus dois braços atrás do corpo. Ela se debate até Andréa segurar seu rosto com a mão esquerda e apertar sua mandíbula com dedos que parecem feitos de anéis, de tão duros. Com a mão livre, dá um tapa na cara de Pamela, que começa a chorar.

"Eu te ajudei", diz Andréa.

Pamela só chora.

"Eu te dei tudo", a cafetina segue gritando.

A cada frase, parece que sua raiva fermenta. Ela aperta os dentes enquanto balança devagar a cabeça. Até que para. E faz um movimento que foge do roteiro.

"E é isso o que você faz comigo?" Andréa dá uma cabeçada na testa de Pamela Pommette. O rosto incha imediatamente, como se Caetana tivesse injetado muito silicone só no supercílio de Pamela. A sobrancelha direita se transforma em uma papa de sangue. Andréa balbucia alguma coisa, e o homem solta Pamela, que vai ao chão. Andréa a olha e diz: "Você tá na rua". Pamela sai cambaleando do quarto sem pegar nenhum pertence. Quando já está no corredor, olha para trás, respira fundo e parece que vai dizer alguma coisa. Mas fica muda. A voz que se levanta é de Andréa de Mayo: "E ai de você se eu cruzar contigo na rua". Pamela Pommette se muda de São Paulo dois dias depois, para nunca mais voltar.

4. “Travesti não é artista. É travesti.”
1982

A sala de cinema já está escura, mas o grupo de quase uma dúzia de pessoas ainda está escolhendo um lugar quando o filme começa.

“Bicha, aqui?”

“Aqui, não, bicha, longe demais. Eu tô sem óculos.”

É provável que, se houvesse mais gente na sala, os outros espectadores já estariam reclamando da balburdia e pedindo silêncio. Mas o cinema está quase vazio.

A turma se divide em duas fileiras bem no meio da sala, cinco na frente e cinco atrás. Ninguém para de falar durante a sessão inteira. O auge dos decibéis vem quando o rosto de uma das integrantes do grupo é projetado em versão gigantesca na tela. Um rosto de maçãs do rosto altas, queixo pontudo e nariz fino. Jacqueline Welch está numa boate, prestes a ir para um quarto de hotel onde vai fazer sexo cenográfico diante das câmeras.

“É a mãe!”, se agita Beth Carioca.

“Mãezinha, você tá linda!”, diz Katia Loura.

“Palmas para a estrela”, grita Sungali.

O grupo no cinema é o clã Bláblábláblá. Jacqueline leva a família para assistir à sua estreia na tela. Na marquise do cine Comodoro, o cartaz revela qual é a fita que elas estão vendo: *Casais proibidos*, uma pornochanchada.

Jacqueline põe o dedo sobre a boca e pede silêncio às demais. Como elas não param de gritar, dá um tapa na que está ao seu lado. Ela quer ouvir suas duas únicas falas no filme. Até que o sistema de som reproduz a voz aveludada de Jacqueline: "E então, broto, vai querer ou tá com medo?". Na cena, ela se aproxima do protagonista em uma boate, depois de passar segundos, que parecem anos, sendo encarada por ele. A participação dela no filme se reduz a essa cena e à seguinte, de sexo não explícito. O grupo sai feliz do cinema e Jacqueline paga um jantar para todas no Chopp Preto, uma casa de carnes a três quarteirões do seu palácio.

Jacqueline está tão feliz nessa noite que se permite ficar bêbada, um acontecimento raro, e também patrocina a bebedeira das filhas no restaurante. A participação dela em um filme é um sonho antigo, que se resolveu quase que caindo do céu, meses antes.

Em uma noite de trabalho, Jacqueline precisa passar na sua boate, a Dani's, para encontrar um cliente, um fazendeiro idoso do interior, que está tímido para entrar no seu palácio. Mas, enquanto cruza a pista, é parada por um jovem um tanto inseguro, que diz trabalhar como assistente de produção de uma firma de cinema da Boca do Luxo, e que está à procura de uma travesti como ela, alta, com experiência, imponente. Jacqueline aceita a participação, sem cachê, antes mesmo de ouvir a trama do roteiro, que é a seguinte: um jovem advogado descobre que é voyeur, ou seja, que tem prazer sexual ao ver outras pessoas fazendo sexo, então se fecha em um hotel e passa a convidar toda e qualquer pessoa que conhece para usar seu quarto. O elenco do filme é cheio de mulheres, como Sônia Garcia, Zélia Martins e Malu Braga. E tem uma única sequência com Jacqueline, que termina com ela fazendo sexo com outro homem na frente do protagonista, que assiste com um sorriso.

A estreia de *Casais proibidos* havia acontecido dias antes no cine Marrocos, mais suntuoso que o Comodoro, onde o clã Blábláblá assiste à fita. Não consta que Jacqueline tenha ido à estreia. Mas estava lá a protagonista do filme, Zilda Mayo, uma das maiores estrelas do Brasil no começo dos anos 1980. A morena de cabelo ondulado, corpo delgado e olhos de boneca fez sua fama num circuito paralelo, que até poucos anos antes não existia: a pornochanchada.

Antes de ser artista, a adolescente Zilda Sedenho se mudou para São Paulo, em 1976. O pouco dinheiro no seu bolso era inversamente proporcional à disposição que tinha para trabalhar. Vendeu perucas e começou a fazer testes para novelas e peças. Era recusada em todos. Até que respondeu a um anúncio no jornal, que procurava atrizes para participar de um filme produzido por Silvio Santos. Foi fazer o teste e passou. Seu primeiro papel, em *Ninguém segura essas mulheres*, era de uma prostituta de rua, sem falas. No único dia que ficaria no set, um produtor chamado Miziel passou por ela e perguntou: "Mas você fala?". Zilda respondeu: "Você quer saber se eu sei falar?". O homem confirmou. Ela respondeu em tom de piada: "Mas não estou falando com você, criatura?". O produtor achou a figurante espirituosa. "Ele me deu um texto e eu nunca mais parei de falar na vida", diz Zilda, em 2021.

Depois de falar no filme, Zilda Mayo foi convidada para ser bailarina do programa Silvio Santos, um cargo que na época era chamado de Telemoça. Enquanto isso, ganhava destaque no mundo das pornochanchadas, nos filmes meio caseiros e meio profissionais que começaram a ser produzidos no centro de São Paulo, misturando erotismo com humor. Um longa-metragem é filmado em dois, às vezes três dias, com uma equipe de menos de dez pessoas. As cenas são rodadas dentro de hotéis de prostituição e de boates, e os cachês são baixos, quando existem.

Não demorou para Silvio Santos descobrir que Zilda fazia shows sensuais em boates da Boca do Luxo, e ela foi demitida da televisão. Ponto para o cinema. Zilda fez 42 filmes em uma década e meia. Em quase todos, há participação de uma travesti e de prostitutas. Talvez seja pela produção intensa que Zilda não se lembre de Jacqueline Welch, quarenta anos depois de as duas terem gravado juntas. "Não lembro dela especificamente, mas tenho certeza de que foi uma alegria. Os sets eram sempre ótimos com as travestis", diz Zilda. Ou talvez o papel de Jacqueline tenha sido esquecível para todos, inclusive para ela mesma. Com menos de um minuto de tela, é capaz que nem as filhas de Jacqueline lembrassem do vestido que a mãe usara na cena.

A única travesti que consegue romper com o papel de figuração exótica no cinema é Claudia Wonder. Claudia, que havia perdido a disputa pelo monopólio de dublar Liza Minnelli no meio da década de 1970, também é convidada no começo dos anos 1980 para participar de uma pornochanchada. *Sexo dos anormais* conta a história de uma clínica psiquiátrica isolada em uma chácara, aonde pessoas com fetiches sexuais vão em busca de tratamento. E Wonder é considerada uma desviante no filme. "A representação da travesti era erótica, sexual. Ou chacota", conta Claudia no documentário *Meu amigo Claudia*. E ela cumpre as duas funções nesse filme. Além de aparecer nua, simulando sexo, faz parte de cenas cômicas. Cenas em que geralmente riem dela, como na sequência em que tira a peruca e diz: "Meu nome é Patrícia, mas pode me chamar de Sandoval".

Sexo dos anormais é tão bem-sucedido que na primeira semana em cartaz já vem a encomenda de uma sequência, que em vez de se chamar *Sexo dos anormais 2*, acaba virando *Sexo livre*. Não porque os produtores pensem que chamar de *anormais* os homossexuais, as travestis e os fetichistas mostrados no filme seja errado, mas porque acreditam que o nome *Sexo livre* assusta menos, e por isso venderia mais ingressos, de acordo com o diretor Alfredo Sternheim. Em entrevista ao *Estado de S. Paulo* na época, ele também conta que a presença de Claudia Wonder foi um elemento estranho. "Eu senti que parte da equipe estava um pouco inibida. E a Claudia tinha uns pitis." O que o diretor classifica de "piti" é um episódio em que um dos assistentes de direção chama Claudia por seu nome de batismo. Um nome masculino que ela não havia revelado, e muito menos dado permissão para ele usar. "Foi uma tragédia grega chamar a Claudia pelo nome masculino", diz o diretor.

Mas, se o filme de Claudia Wonder marca uma geração, *Casais proibidos*, com participação de Jacqueline Welch, passa longe disso. Além do clã Bláblábá, uns milhares de gatos-pingados assistem ao filme, que jamais chega a ser considerado um sucesso ou um fracasso — é só mais uma produção na média de público das pornochanchadas que não dão lucro nem prejuízo.

O filme não traz fama, nem é a coisa mais divertida que ela fez. Jacqueline reclama para Mona das filmagens. Passa mais de doze horas em pé, filmando, para se ver na tela por pouco mais de dois minutos. "E eu achava que nosso trabalho aqui era puxado, Mona. Pelo menos a gente trabalha deitada!", ela ri quando volta da gravação. A única marca que *Casais proibidos* deixa é sua trilha sonora, que vira um item cult. Quatro décadas depois do lançamento, o disco é vendido por centenas de reais em sebos. Mas o nome de Jacqueline não consta no disco. Nem sua participação é creditada na maioria dos materiais de divulgação.

As participações nesse cinema quase amador encheram de esperança o coração de várias travestis. Margot Minnelli, por exemplo, também fez uma ponta em um filme. Tinha 23 anos e já havia aparecido em um comercial de pilha Rayovac, vestida de Marilyn

Monroe, quando um desconhecido a aborda em uma boate. O homem é Wilson Barros, diretor de pornochanchadas, e deseja filmar um número de dublagem de Margot ali mesmo, no palco da casa noturna Corintho, onde ela acabara de se apresentar. Margot vai para a Corintho em uma manhã, caracterizada de Liza Minnelli, e se apresenta uma porção de vezes para duas câmeras. Não sabe o que vão fazer com a filmagem. A cena que precede a entrada de Margot é a de Marco Nanini sendo encontrado morto dentro de uma banheira. A figurante que encontra o cadáver berra ao ver a cena, e é cortada por Margot interpretando Liza Minnelli. "A gravação era um fervo. Mas era coisa curta. Eles queriam travesti para fazer um show, ou fazer um número sexy, e era isso aí. A gente não era nem chamada de atriz. Era chamada de travesti. Ouvi até de um diretor que não colocavam nosso nome no pôster porque travesti não é artista, é travesti", diz Margot.

Jacqueline, quando aceita o papel, acha que ele pode ser a porta de entrada para uma nova carreira. Que ela poderia passar a ser considerada uma artista. Mas, nos anos 1980, dúzias de travestis do centro aparecem no cinema, sem nunca receber o devido valor. A decepção com a estreia, entretanto, é o menor dos seus problemas. Além do hobby ter sido frustrado, o seu ganha-pão também está em risco com a mudança pela qual a cidade passa.

No começo dos anos 1980, o delegado Guido Fonseca faz um dos poucos censos sobre a prostituição de travestis no centro. Os policiais que ele comanda contam 2 mil prostitutas espalhadas por pouco mais de vinte quarteirões. Quem olhasse a rua Rego Freitas à noite poderia pensar que aquela micareta de pessoas paradas na calçada, apoiadas em capôs de carros e se escondendo da chuva sob a marquise dos prédios antigos, podia ser um câncer para o negócio de Jacqueline. É lógico pensar que, com milhares de prostitutas na rua, um bordel perderia a sua razão de existência.

O palácio de fato sente um baque. Aos poucos, o negócio de fachada vai voltando a ser essencial na renda das empresas de Jacqueline. O salão de beleza, que perdeu a importância nos anos 1970, volta a ser uma fonte de dinheiro significativa. Jacqueline volta a pôr a mão nas madeixas das clientes, travestis que trabalham na rua, e até contrata reforços. Traz Sandra, sua irmã mais velha, para morar no palácio e cortar cabelo com ela. Mas Sandra não se adapta à vida no centro de São Paulo — despreza clientes e grita com as funcionárias. Até com Mona, que já completa sua década ali e é apaixonada pelo salão, além de amiga mais próxima de Jacqueline. "Ser maltratada pela mãe é uma coisa. Pela irmã da mãe é outra", diz Kelly Cunha.

Dura com todos, Jacqueline não levanta a unha vermelha do mindinho para falar com a irmã. "Ela estava muito feliz que uma parte da família a tivesse aceitado de volta", diz Kelly. É só quando a irmã chega que Mona e as filhas de Jacqueline descobrem onde ela cresceu: numa família grande que havia migrado da Paraíba para Mato Grosso. Uma família que desde que Jacqueline tinha fugido de casa, ainda pré-adolescente, nunca mais quis saber dela.

Nos primeiros anos da crise, Jacqueline aposta que há espaço para dois mercados completamente diferentes no mesmo bairro. Os clientes dela não se exporiam na rua, ela acredita. Não correriam o risco de ser vistos conversando com uma pessoa parada na calçada. Na mente dela, eles prefeririam pagar o dobro, ou até o triplo, de um programa, desde que ele acontecesse atrás de portas fechadas.

Mas a avaliação de Jacqueline não leva um fator em conta. O declínio econômico e de status do centro como um todo. Seus clientes passam a não querer ser vistos não só nas ruas, mas no bairro. Os anos 1980 tiram o capital cultural do centro, que passa a ser visto só como um bairro perigoso e obscuro, que a riqueza paulistana evita a todo custo.

Até o mundo da elite liberal, que abraça a arte travesti, se afasta dali. A Medieval deixa de existir por alguns meses. No começo da década de 1980, a dona da Medieval abre a Corintho, uma casa de shows de luxo colada ao shopping Ibirapuera, a mais de dez quilômetros do centro da cidade. As travestis artistas estão mais longe do que nunca do lugar onde se criaram. Marcinha, a mesma criança que Jacqueline Welch parou na rua anos antes, é rainha desse novo mundo, em um bairro de classe média alta. Tem oito bailarinos, seis meses para montar cada um dos seus shows e um séquito de seguidores. Marcinha é tão famosa que absorve o nome da boate, se torna a Marcinha da Corintho.

É então que Jacqueline apela para uma saída de emergência. Seu plano B está numa caixa de madeira, cheia de pedaços de papel. São fotos em preto e branco dos seus clientes. Fotos espontâneas que foram tiradas enquanto eles estavam bêbados ou empolgados demais para notar que tiveram momentos registrados em flagrante. Fotos de homens, alguns poderosos e outros comprometidos, em atos que eles jamais gostariam de ver divulgados. "E, quando se sentia abandonada, pegava as fotos e ligava para um ou para outro", diz Mona.

Jacqueline é elegante até na hora de fazer chantagem. Dá um alô delicado, pergunta se o cliente pode falar e diz que está com saudade. E, só então, depois de cortesias e agrados, chega ao assunto da ligação. "Eu tenho aqui uma foto bem interessante sua. Sua com as meninas. Sabe quem gostaria de ver isso?" Alguns dos homens achacados não respondem, apenas engolem forte. "A sua mulher", responde Jacqueline. Se é o caso de um ator famoso, político de vulto ou empresário de destaque, a resposta pode mudar. Vira: "A imprensa", ou o nome de alguma revista de fofoca. Jacqueline sabe que revista nenhuma ia se arriscar a publicar fotos como essas, mas, sufocado por um medo que mata qualquer lógica, o cliente costuma ceder. Com uma ligação, ela consegue angariar um valor equivalente a dez, vinte, trinta programas. E assim segue com os negócios.

Mona volta a ser uma peça essencial nos negócios do clã Bláblábla. Não são todas as prostitutas de rua que têm dinheiro para pagar os préstimos dos serviços, mas pelo menos o aumento de travestis no centro se reflete em um crescimento discreto no salão. O mercado pode estar bicudo no meio da década de 1980, mas Jacqueline Bláblábla ainda consegue trocar de carro todo ano. Ela brinca com Mona que, se não conseguir ter um carro zero quando chega janeiro, vai se jogar, com carro e tudo, de uma ponte. A fala é dita com tom de brincadeira, mas pode ser a ponta aparente do iceberg de insatisfação de Jacqueline no meio dos anos 1980. Meses depois de sua estreia no cinema, Jacqueline Welch morre. Ou, pelo menos, entra em coma simbólico e some do mundo.

No fim de 1983, Jacqueline convida as mais chegadas para uma festa no palácio. Como ela comemora o aniversário em novembro, todas presumem que o evento é para celebrar a nova idade, que ela nunca revela e que, portanto, nunca aumenta. "Era uma festa como qualquer outra. Talvez um pouco mais animada do que o normal, muita champanhe, muitos boys, muita música", lembra Kelly. O que a dúzia e meia de pessoas não imagina é que a celebração é, na verdade, um velório. Jacqueline está lá, em um vestido preto com pedrarias bordadas no decote, para se despedir. Ela bebe. Dança com homens. Termina com um na cama de dossel, com outras amigas e outros homens em volta. E, depois dessa noite, Jacqueline desaparece. É sua última noite como mulher. Tem marcada para o dia seguinte a cirurgia de retirada de silicone dos seios, e seu guarda-roupa já está cheio de ternos sob medida que fez com Alfredo, um dos alfaiates mais caros da cidade, na rua Augusta.

Em uma noite de 1984 em que está no Corintho, Kelly Cunha vê um homem entrando. Tem a impressão de que o conhece de algum lugar. Alto, cabelo ondulado cobrindo as orelhas, uma camisa de caubói preta e branca. Até que Kelly o reconhece. É Jacqueline Bláblábla. Ou era até meses antes, quando parou de atender ao telefone. Agora é apenas Jacques. No único registro dessa fase — uma foto feita na Medieval —, Jacques está com um cigarro na mão e o rosto coberto por uma penugem castanha: a barba contra a qual tinha lutado por décadas voltou a existir. "Ela não falou nada sobre o que aconteceu", conta a amiga. "Mas é comum. A gente vai se desiludindo com a vida de travesti, até que não quer mais ser travesti. E muitas deixam de ser."

MAYO ENCONTRA MAYO

Andréa de Mayo se encontra com Zilda Mayo, uma mulher três palmos mais baixa do que ela, em uma boate da Boca do Luxo em 1983. O fato de as duas compartilharem o sobrenome não passa despercebido. Andréa diz no ouvido da atriz: "Zilda, eu sou Mayo em homenagem a você. Eu pus Mayo por causa da Zilda Mayo". A outra fica comovida. Vai carregar essa história pelos próximos quarenta anos, sem saber que caiu numa lorota. Andréa, sabe-se, é de Mayo por conta do mês em que nasceu, e se apresenta com essa alcunha antes de Zilda adotá-la. A anedota serve para mostrar que, assim como Jacqueline, Andréa de Mayo também flerta com o mundo da mídia.

Mas o babado de Andréa não é o cinema. Nem o teatro, como ela descobriu na montagem de *A ópera do malandro* que abandonou em meio à turnê de 1979. É a TV. Enquanto a prostituição inunda as ruas do centro e as travestis dão as caras à luz do dia pela primeira vez, Andréa se transforma em uma espécie de embaixadora desse mundo. É ela quem apresenta o novo centro a programas investigativos que tratam a noite travesti como um planeta distante, inóspito e perigoso.

"Nossa equipe se arriscou, inclusive arriscou a própria vida, para tentar penetrar no mundo marginal do travesti. E descobrimos uma nova profissão nesse país: a de travestir. Quem é esta figura? Quem é este personagem marginal? Que às vezes se mistura à sociedade como um personagem sensual? Por que os executivos, por que as pessoas da classe B1, B2 e até A procuram o prazer através da experiência erótica e psicopática?", diz a voz do jornalista Goulart de Andrade na abertura do primeiro programa que gravou com ajuda de Andréa, em 1985.

Goulart é uma estrela do jornalismo investigativo brasileiro. Faz rádio desde os anos 1960, reportando lados ocultos da cidade de São Paulo. Quando encontra Andréa, no começo da década de 1980, acaba de migrar para a TV. Eles se cruzam em um concurso de beleza de travestis, a que ele vai por curiosidade, mas acaba não filmando para seu programa, o *Comando da Madrugada*.

O *Comando da Madrugada* trata de muitos temas. Uma mesma edição traz a cobertura de uma discoteca da moda da zona Leste; a prisão de travestis em uma delegacia da Vila Sônia; o baile Som de Cristal; a elaboração de um jornal, da pauta às bancas; conversa com um desenhista na esquina das avenidas Ipiranga e São João e faz uma entrevista com Jânio Quadros, que viria a ser prefeito da cidade. É essa salada de frutas do inusitado que faz Goulart chegar a vencer a corrida pela audiência, nas madrugadas de sábado para domingo do SBT, após o *Viva a Noite*, de Gugu Liberato.

Em 1985, quando decide fazer uma reportagem aprofundada sobre o mundo das travestis do centro, Goulart se lembra de que anos antes conheceu uma chefona desse mundo. E procura Andréa de Mayo. Os encontro seguinte dos dois já é em frente às câmeras. Andréa vai ser a guia de uma equipe de seis homens héteros ao seu universo.

No primeiro dia de gravação, o clima é de receio. "A gente gravou no Carandiru. A gente gravou em zonas de batalha. Mas essa reportagem, na rua, foi uma das mais tensas para a equipe. Todo mundo tinha medo. Todo mundo tinha muito medo", diz um dos produtores do programa, que pede para ter sua identidade preservada. "A gente não estava preparado para aquele mundo. Tinha preconceito. Muito preconceito. Todos pensávamos que travesti era uma coisa perigosa e sedutora. Uma sereia que te puxa para baixo do mar. Mas a Andréa nos recebeu muito bem", diz o produtor.

O programa começa com Goulart na rua, ao lado de Andréa de Mayo. Ela aparece sem maquiagem, com o cabelo crespo solto, um tricô de gola rulê em cores pastel e calça jeans. Está abraçada à cintura de uma travesti, que não é identificada. É Andréa que empunha o microfone e conduz a entrevista com a prostituta de rua.

"Onde você batalha?", pergunta ela.

"Segunda eu fui para a Cruzeiro", responde a outra.

"A avenida Cruzeiro do Sul, né?", traduz Andréa para o grande público.

"É. E hoje eu fui pro Jockey."

"Os programas que você pegou hoje, o que você transou? O que você fez entre quatro paredes, para o Brasil inteiro saber?", pergunta Andréa, com a confiança de uma repórter experiente.

"Em quatro? Não! Foi no carro mesmo." A entrevistada ri. Andréa ri. Goulart fica em silêncio dentro do seu sobretudo Burberry.

A segunda metade da reportagem é gravada na casa de Andréa, na Vila Mariana. Ela e Goulart estão no quarto e a cama de casal está repleta de roupas em cabides. Goulart pega uma peça e se levanta. É um vestido preto de veludo com detalhes em organza, e anuncia para as câmeras: "Eu vou ser um travesti hoje. Vou entrar na pele do lobo, e a pele é essa", ele mostra o vestido. "Você vai me seguir e acompanhar. Porque você percebe o travesti no seu meio social e se incomoda com ele. Então não me venha com hipocrisia de querer rejeitar uma reportagem dessa natureza. Porque você precisa conhecer quem é o travesti, e essa é a minha proposta. E é isso que eu vou levar para vocês agora. Mas na pele desse lobo." Enquanto o apresentador fala "lobo", a câmera mostra a imagem do rosto de Andréa de Mayo, abrindo um grampo de cabelo com os dentes e o enfiando no coque.

A câmera, então, mostra cinco estolas de raposa de Andréa, largadas sobre a cama, enquanto Goulart está sentado sendo maquiado pela dona da casa. Ela passa sombra roxa e batom vinho no homem, que já tem mais de cinquenta anos e cabelo branco. "Eu tô parecendo uma polacona", ele brinca. Al Capone, o cachorro pequinês de Andréa, late enquanto Goulart põe uma peruca. "Parece a Neuzinha Brizola", brinca Andréa, comparando o homem de peruca à filha rebelde de Leonel Brizola, que atingiu um sucesso efêmero como cantora nos anos 1980. Os dois caem na gargalhada, com uma química rara na televisão, ainda mais para duas pessoas que estão filmando juntas pela primeira vez.

Quando Goulart já está montado, ele pede a Andréa que o ensine a falar como uma travesti. E então o programa mostra um intensivo de pajubá, o dialeto das travestis. Andréa pensa em uma frase que exemplifique bem a língua cifrada, e diz para Goulart: "Mona, aquenda o ocó que o ocó é bem de aqué". Em seguida, ela faz uma chamada oral com o jornalista. Ele não consegue entender uma palavra do que foi dito. Andréa, então, traduz o pajubá para o português: "Pega o cliente que ele tem muito dinheiro". O pajubá, ela explica, é uma linguagem secreta.

A equipe de filmagem volta para a rua. Desta vez, Goulart fica do lado das filhas de Andréa que estão batendo ponto, enquanto ela observa dos bastidores. Goulart travestido pergunta que valor uma delas cobra. A mulher responde: "Quinze mil do hotel e trinta pra gente. Se ele quiser que a gente sirva de homem para eles, pedimos mais, uns 100 mil cruzeiros". Cem mil cruzeiros são um terço de salário mínimo. É a primeira vez que muitos brasileiros têm contato com a realidade da prostituição de travestis nas ruas da maior cidade do país.

O fim do programa é o único momento do qual Andréa não participa. O *Comando da Madrugada* termina com uma entrevista com a jovem Roberta Close, que é apresentada com seu nome de batismo e chamada de homem por Goulart.

O programa é um estouro de audiência. "Ficamos em primeiro lugar durante quase o programa todo, o que era raro", conta o produtor. Mas a pauta encontra um problema. "Anunciante não gostou muito. A gente tinha o apoio de uma companhia aérea, uma churrascaria chique e uma casa de câmbio. E os três chiaram."

Mas, apesar da pressão comercial, a parceria dá tão certo, e tanto ibope, que seria repetida um ano depois. Em 1987, Goulart pede que um produtor vá até a casa de Andréa com um convite. O jornalista quer a ajuda dela para fazer uma segunda reportagem. Desta vez, mais chocante. Quer mostrar ao público como se faz o corpo de uma travesti.

Andréa, então, faz a produção da reportagem. Em vez de mostrar o trabalho de Caetana, a bombadeira que aplicou silicone no rosto e no corpo das filhas, ela decide preservar os seus negócios. Vai até uma vila do Bixiga, onde fica a pensão de Bartô. O mundo das cafetinas também se divide por classes. E, se Andréa é uma das mais ricas, que tem casas pela cidade, Bartô faz parte do grupo menos privilegiado. Seu sobrado é velho, carente de manutenção e cobra um aluguel que não chega à metade do de Andréa.

Quando Goulart chega para filmar, ela já o espera na casa de Bartô com meia dúzia de travestis. Ele entra, e Andréa o apresenta: "Essas são as meninas. Não sei se vocês conhecem o repórter da TV".

A sala tem móveis simples. Ao redor das paredes manchadas estão cadeiras de madeira carcomida e poltronas com o estofado roto. Cada uma é ocupada por uma travesti que já injetou silicone. Muito silicone. A seleção de Andréa procura mostrar casos extremos de aplicação; uma das travestis tem as maçãs do rosto tão aumentadas que seus olhos mal aparecem, outra pôs tanto silicone que o gel desceu para os testículos.

Quando Goulart de Andrade já está conversando com as pessoas da sala, chega a dona da casa. Bartô é magra, tem quarenta anos, os braços torneados e está só de top e calcinha. Seu corpo é inteiro modificado pelo silicone, que aplicou em si mesma. Bartô preencheu a testa, os olhos, o alto do nariz, as canelas, os pés, as costas, a parte interna da perna, o queixo e os lábios, e também tem o próprio nome tatuado ao redor da aréola do seio direito. "Eu fiz na cadeia. A tatuagem, não o peito. O peito fiz em casa, eu mesma", ela brinca, enquanto mostra os seios para a câmera. Os braços estão cheios de cortes ainda vermelho-vivo, indício de que passou pela cadeia nos últimos tempos, e se mutilou para ser liberada.

Diante da câmera, é como se a bombadeira soubesse o papel que lhe é esperado. Com a precisão de uma apresentadora profissional, Bartô pega uma seringa na mão e explica: "Eu aplico a xilocaína com essa agulha fininha". Ela pega outra seringa, muito maior e terminando em uma agulha do tamanho de um dedo, e explica: "Depois, aplico o silicone com essa grossa. A anestesia é só para amortecer a dor dessa agulha".

Andréa pede que Bartô vire de costas. Abaixa a calcinha da entrevistada e mostra suas nádegas. "Você vê que o silicone causa manchas, queimaduras na pele, e uma certa deformidade. Ela teve muita sorte, porque tem um organismo muito bom. Esse silicone é tóxico." Enquanto explica, Andréa apalpa o corpo de Bartô, como se fosse uma professora de anatomia.

Em seguida, Andréa pede que Goulart a acompanhe. Anda até a cadeira onde está uma travesti de cabelo loiro e o rosto inchado de silicone. Coloca a mão no decote, enquanto explica que ela fez uma aplicação há poucos dias. A travesti pede que Andréa pare: "Eu não queria que aparecesse. Está feio, com manchas". Andréa ignora o pedido: "Tira um pouquinho as mãos, meu amor", ela pede, e força a filha a mostrar os seios recém-injetados em rede nacional.

Em um dado momento da entrevista, Goulart se volta para Andréa e pergunta: "Você, por exemplo, vai tirar o silicone dos quadris?". Ela parece desconfortável em falar que sim, mas confirma: "Eu vou, com cirurgião".

A câmera, então, mostra Bartô injetando silicone líquido nos seios de Grazielly. As cenas mostram detalhes do procedimento, como a agulha grossa empurrando pele e músculo para entrar. São imagens chocantes, e por isso mesmo são mostradas quase na íntegra, por dez minutos ininterruptos.

Depois de Bartô terminar a aplicação, Goulart a entrevista. Pergunta por que os braços dela têm cortes ainda em carne-viva. Quem responde é Andréa: "Esses cortes nos braços são um habeas corpus que elas têm para sair da cadeia. Se não cortam os braços, ficam três, quatro dias presas. E eles molham a cela, para elas não conseguirem deitar". Bartô concorda, e narra como nasceram aquelas feridas: "Eu cortei um braço. Ele disse: 'É pouco, corte o outro'. Eu cortei o outro braço, ele disse: 'É pouco, corte o pescoço'. E eu cortei". Bartô, então, exibe os cortes ainda frescos na garganta. E um que fez no ventre, onde teve de tomar dezessete pontos. A dona da casa mostra para o repórter como esconde metade de uma lâmina de barbear em cada lado da boca, e o programa termina.

A reportagem, mesmo depois de editada, dura mais de quarenta minutos. De novo, bate recordes de audiência. E ganha uma aura cult. Mais de trinta anos depois, é vista por centenas de milhares de pessoas no YouTube. Os comentários vão de "Como isso foi passado na TV?" a "Não fazem mais esse tipo de jornalismo investigativo".

No mesmo ano, Andréa é chamada por outra equipe de filmagem. Dessa vez, dois diretores estrangeiros querem fazer um retrato mais sensível e aprofundado da vida das travestis de São Paulo. Pierre-Alain Meier e Matthias Kälin passam quatro meses filmando no centro o documentário *Douleur D'Amour*, ou *Dor de amor*. O filme, de uma hora e meia, mostra apresentações de algumas das rainhas da noite. Thelma Lipp, Condessa Mônica, a dona do Nostromondo, Claudia Wonder e Andréa de Mayo. No documentário, Andréa quebra o seu jejum de apresentação, e sobe ao palco para dublar "You've Lost That Lovin' Feeling", de Dionne Warwick.

É na filmagem que Andréa fala uma das frases que fica associada ao seu nome: "O palhaço pinta o rosto pra viver e o travesti também. Mas quem que dá trabalho pra uma travesti?".

A CARTOGRAFIA DA PRAÇA

Aos 22 anos, Virgínia decide que não quer mais ter uma cafetina e sai da pensão de Xepa Riso. Pega as economias e se despede, num rompimento que Xepa afirma ter sido amigável. "Ela era muito independente. Tem gente que não precisa de cafetina, porque já nasceu cafetina", diz Xepa. Virgínia some das ruas por um mês ou dois, e volta se apresentando como Cristiane Jordan.

Junto com o novo nome, passa a contar uma história inédita. Diz que fez o voo da beleza, a primeira viagem à Europa, e por isso passou os últimos meses sumida. Que, assim como tantas colegas — inclusive Andréa de Mayo e Jacqueline Welch —, foi à França e voltou. Mas a verdade é que Virgínia nunca tirou um passaporte. Nem Marquesa. Tampouco há um documento com o nome de batismo. Cristiane Jordan nasce de uma mentira, de uma viagem que só existiu na sua mente, e para o truque ficar mais crível, adota uma nova identidade. Quando encontra alguém, ela estende a mão, com o dorso voltado para o rosto da pessoa, esperando que a beije. E se apresenta: "Prazer. Cristiane Jordan".

O nome francês denuncia sua intenção de ser uma mulher sofisticada. Elegante. Cosmopolita. É comum que a fama de Cristiane já tenha chegado à pessoa para quem ela está se apresentando. Então, a resposta é sempre muito educada. Outras travestis baixam a cabeça. Homens beijam sua mão. Mas, quando ela passa na rua, a frase é outra: "Ah lá, a Cris Negão".

Cristiane Jordan nasce numa quitinete no edifício Redondo, que aluga de uma travesti antiga, e onde vai morar sozinha pela primeira vez. Nos primeiros meses depois da mudança, seu apartamento tem duas coisas: um colchão no chão e o urso de pelúcia preto. Não há geladeira, fogão ou mesa no Redondo, que tem esse apelido por causa do formato cilíndrico, e está cercado por dois marcos do centro. Do lado esquerdo fica o hotel Hilton, fundado no começo da década de 1970, e que já não tem o glamour de antes. A um quarteirão, do lado direito, fica o Palácio de Jacqueline Blábláblá. Cristiane só consegue morar no Redondo porque ninguém mais quer morar lá. As famílias estão saindo do centro, considerado um lugar cada vez mais degradado do qual a prostituição na rua é parte.

Cristiane muda de casa, mas não de trabalho. Continua batendo ponto à noite, em bairros mais ricos do que a sua vizinhança, como a Vila Buarque e Higienópolis. Mas, no meio dos anos 1980, não é mais a única a invadir espaços que até então eram virgens de prostituição.

As travestis transbordam do centro velho. Um grupo ultrapassa o Minhocão e se estabelece no novo bairro. A praça Rotary, rodeada por apartamentos de comerciantes e de famílias de médicos da Santa Casa, se torna um dos principais focos. A cada pôr do sol, chegam mais e mais travestis para bater ponto na praça.

Em um desses apartamentos está uma pessoa jovem, que com o passar do tempo vai virar a drag queen Divina Nubia. Ainda alheia à noite, Nubia vê esse mundo da janela enquanto cresce, aprendendo a cartografia dos diferentes grupos que ocupam a praça.

Na esquina da rua Major Sertório com a rua Doutor Vila Nova, reúnem-se as europeias, que moram em Paris ou em Barcelona, e estão no Brasil só de férias, ou esperando o inverno europeu passar. Se nos anos 1970 o sonho das travestis era ir para Paris, a França deixou de ser o destino predileto. A nova onda é ir para a Itália, onde há mais clientes e, jura quem já foi, mais segurança para as trabalhadoras do sexo. "Magina, policial na Itália te prende e senta pra comer um sanduíche com você, tomar um espresso. É outro mundo", diz Claudia Edson, que passou anos em Siena.

No canto das europeias, só fica quem tem passaporte carimbado. Quem se trata por "Bella" e chama Brasil de Brazile. São as ricas, as luxuosas, as que vestem pele no calor dos trópicos. E as que se queixam de que o Brazile não é como a Europa. "Elas reclamam, reclamam e reclamam, mas voltam todo ano, se têm dinheiro", diz Margot Minnelli, ela mesma uma europeia.

Na rua Major Sertório com a Cesário Mota Júnior fica o clã das bebezinhas. "Bicha muito nova, ainda sem peruca, com peitinho de hormônio que parece uma espinha de cada lado. Mas com uma pele ótima, ainda inocente, sabe?", diz Titica Bacana, que fez parte do clã das Bebezinhas. Além de ter clientela fixa, o clã das Bebezinhas também é visado pelas cafetinas, que querem investir na transição das mais promissoras, para depois colher seus dividendos.

O clã das antigas fica a um quarteirão de distância do das bebezinhas, por mais que uma vida de idade separe os dois grupos. As antigas são as travestis que passaram dos trinta e poucos, às vezes dos quarenta anos, e são consideradas veteranas. Peças de museu em um mundo em que a expectativa de vida é literalmente metade da do resto da população da mesma cidade. Antiga não é um xingamento, é um termo respeitoso que contém certa reverência por quem veio antes.

Por fim, no canto norte da praça, onde a rua General Jardim encontra a Doutor Vila Nova, está o clã das assassinas. A piada na rua é que as assassinas ficam naquela esquina porque de lá se vê a Santa Casa de Misericórdia, e quem passar por elas vai ter que chegar a um hospital, e rápido. Ali na praça, todo mundo já foi presa por ser travesti, mas as assassinas têm uma ficha mais diversa: prisões por fraude, tráfico de drogas, falsidade ideológica e, às vezes, honrando o apelido, já foram presas por homicídio.

A praça é um elemento vivo. De manhã, é onde as velhinhas do bairro tomam banho de sol e as crianças queimam energia no parquinho. É no coração da praça Rotary onde, desde 1950, fica a biblioteca Monteiro Lobato, uma das únicas dedicadas exclusivamente à literatura infantil em São Paulo. O universo matutino e o noturno ficam separados por uma grade de metal, mas se misturam mais do que pode parecer. Nos anos 1980, a bibliotecária, uma senhora baixa de cabelo liso até a cintura, é mãe de uma travesti. E ajuda a todas: "Quando vinha o caveirão, ela abria o porão e a gente ficava lá, enterrada debaixo dos livros infantis", diz a enfermeira e drag queen Ioiô Vieira de Carvalho.

Cristiane Jordan não faz parte de nenhum dos cantos da praça. Ela trafega livre. Às vezes se prostitui por ali, mas geralmente sobe mais alguns quarteirões na direção de Higienópolis e seus apartamentos de milhões de cruzeiros.

A praça pode ser um mundo novo, mas já tem regras bem definidas. As travestis não podem roubar ou agredir clientes, porque isso pode afetar a frequência. E, quanto menos homens, menos dinheiro para todas. Tampouco podem brigar entre si por clientes ou namorados — uma regra difícil de ser cumprida, uma vez que não há um tribunal que julgue as pendengas, ou uma polícia que iniba as que agem com más intenções.

Até que, em uma noite de 1983, cria-se uma delegacia das travestis. Depois de terminar o programa no banco da frente do carro, um cliente tenta dar calote em uma prostituta do clã das bebezinhas. Ela começa a gritar "Vai pagar! Vai pagar, sim!", no momento em que Cristiane Jordan está passando pela rua. Ela vê o homem pegar a prostituta adolescente pelo pulso e ameaçá-la fisicamente, então dá a volta no carro e se aproxima da janela do motorista, sem ele notar. Cristiane abre a porta, arranca o homem de dentro e o prensa contra uma parede. "O vagabundo vai usar a mão para pegar a carteira e dar tudo o que tem, não pra bater em travesti", ordena, enquanto prensa o sujeito contra o concreto. O homem entrega todo o dinheiro que tem na carteira para Cris. Ela solta o homem, que cai de pé no chão: "Em cliente eu não bato. Mas isso não é cliente, é vagabundo". Cristiane Jordan dá uma joelhada na virilha do homem e o joga no chão, se contorcendo. O dinheiro que estava na carteira dele vai direto para o decote de Cristiane. "É pra você aprender a não ser trouxa", ela diz para a novinha, e segue em frente. A praça inteira fica estática com a cena.

A partir desse acontecimento — e de outros em que Cristiane Jordan defende as colegas de sexo —, ela se transforma na delegada da rua. É ela quem medeia problemas entre duas travestis e garante a segurança dessas trabalhadoras, uma classe que não é protegida pela lei nem pela polícia. Mas, para isso, cobra uma taxa. O esquema é parecido com o da república de Xepa Riso: Cristiane Jordan passa às sextas e cobra toda travesti que estiver fazendo ponto.

Em uma das primeiras semanas da nova cobrança, Cigana se recusa a pagar pedágio quando Cristiane chega. "Eu tiro dinheiro de homem. Não vou dar o meu dinheiro para um", Cigana diz para quem está perto, sem olhar para a cara de Cristiane Jordan. Cristiane, ao contrário, encara Cigana quando ouve esse insulto, e dá um sorriso. Descruza os braços e limpa um pigarro na garganta, como quem se prepara para uma discussão. Mas o músculo que se move é o do seu bíceps. Cristiane dá um murro na cara de Cigana. Dentes saem voando e ela cai. Mas parece que, depois do primeiro movimento, Cristiane Jordan liberou uma força dentro de si que não consegue mais conter. Seu corpo não para de se mover e ela começa a chutar Cigana no chão. As travestis do clã das assassinas começam a gritar e implorar: "Para, para" e "Pelo amor de Deus, deixa ela". Os chutes só cessam quando a outra está desmaiada no próprio sangue.

Cigana volta para o ponto depois de uma estada de quase uma semana na Santa Casa e começa a respeitar a nova ordem da praça. Quando Cristiane Jordan chega, às sextas-feiras, ela já sabe como deve agir. Estende um maço de dinheiro e diz: "Um *cadeau* para você". *Cadeau*, a mesma palavra usada para a propina dos policiais. E por décadas vai ser o apelido da taxa que Cristiane Jordan cobra de dezenas de travestis toda semana.

Poucas prostitutas de rua conseguem fugir do jugo de Cristiane. Uma delas é Claudia Edson, do clã das europeias. Em uma noite de sexta, quando Cristiane está cobrando seu pedágio, Claudia, que mora na Itália e passa o inverno europeu no Brasil, diz que não vai pagar. "A semana foi penosa, não tenho dinheiro nem para mim", avisa. Cristiane Jordan levanta a mão para lhe dar na cara. Claudia, que é tão forte quanto Jordan, a impede. "Nem de polícia eu apanho na cara, não é de você que vou apanhar", diz Edson. Cristiane abre os olhos e faz cara de aviltada. "A gente era parecida. Parecidas na fama. Na mente do povo eu já era o preto, o negão, o macaco, a babadeira que se atraca", diz Claudia. A tensão se dissolve no ar enquanto Cristiane e Claudia selam um pacto silencioso. "Ela viu que a gente era parecida. Que eu era como ela", conta. Cristiane recolhe a mão e a estende para as próximas prostitutas.

Cristiane Jordan é um Estado paralelo de quase dois metros de altura. E, quando esse Estado paralelo vem cobrar seus impostos, as outras estendem a mão. Os quatro clãs da praça se curvam a Cristiane Jordan. O único ato de rebeldia que as prostitutas da praça compartilham é, assim que ela vira as costas, não a chamarem pelo nome francês, mas de Cris Negão.

A ascensão de Cristiane passa também por episódios de heroísmo e a criação de um mito. Em 1988, quando já está estabelecida como delegada da noite, ela mostra que cada centavo que achaca é bem gasto. Um homem, portando uma faca, entra no hotel Gurgel para roubar o lugar e todos os hóspedes. O gerente, Orlando Baldoino Ferreira, é feito de refém. O homem põe a lâmina no seu pescoço enquanto sobe as escadas e vai batendo de porta em porta, roubando os quartos das prostitutas, muitas delas travestis. O Gurgel lembra o hotel em que Cristiane passou o fim da sua infância, com a exceção de que lá habita uma criança feliz. O filho de Orlando mora no hotel, onde é bem tratado e faz amizade com travestis. O menino, que anos depois se tornaria a drag queen Ioiô Vieira de Carvalho, presencia a cena do pai sendo ameaçado de morte. Quando o ladrão já fez uma devassa nos quartos e no caixa do hotel, ele ameaça matar o gerente. "Ele vai comigo! Se eu cruzar um polícia no caminho, ele já era!", grita o homem. A criança chora. Travestis gritam. Quando o ladrão está prestes a sair do hotel, é alcançado por uma mão invisível, que vem através da porta da rua. Cristiane Jordan pega o braço do homem por trás, torce e arranca a faca. Sem pestanejar, ela agacha sem soltar o braço do ladrão, pega a faca do chão e cumpre com ela a ameaça do criminoso. "Ela cortou o pescoço do ladrão. Degolou ele na frente de todo mundo", diz Ioiô. Enquanto o sangue jorra, as moradoras choram, mas correm para a portaria para recuperar os pertences. O gerente do Gurgel fica tão grato e admirado que florescem nele sentimentos por Cristiane Jordan, conta o filho. "O maior amor do meu pai foi ela. Porque a Cristiane Jordan salvou a vida dele."

Quando a história do assalto que termina em morte chega às ruas, ela ganha variantes. Há quem conte que o ladrão tentou esfaquear Cristiane, mas sua pele era grossa como a de um crocodilo. Outra pessoa adiciona que ela bebeu o sangue do homem que matou. Começam as especulações pelo centro: "Ela é imortal", diz um. "Ela tem pacto", afirma outra.

O programa *Aqui Agora* do dia seguinte noticia o crime. Mostra a fachada do hotel enquanto um repórter explica, com a voz séria e grave: "As moradoras conseguiram desarmar o bandido, e usar a faca com que ele ameaçava as prostitutas no próprio pescoço". A reportagem não fala que uma travesti acabou com o assalto. Nem que seu nome é Cristiane Jordan, mas seu apelido na rua é Cris Negão. Nem que aquele evento seria só mais um para sagrar Cristiane como a delegada do centro paulistano. A polícia das travestis, que defendia prostitutas de rua da polícia do Estado. E, assim como a polícia do Estado, também é corrupta.

"Peste-gay." A palavra é um substantivo composto e começa a aparecer nos tabloides e programas sensacionalistas de TV no meio dos anos 1980. É o primeiro nome que a imprensa brasileira adota, junto com câncer gay, sem hífen, para falar sobre o que depois seria chamado de síndrome da imunodeficiência adquirida.

A chegada da aids no Brasil é uma bomba que estoura silenciosa no centro de São Paulo, com efeitos devastadores, tanto na prática como na imagem dos LGBTs. Afinal, a infecção é chamada de peste-gay, e, nessa época, a palavra gay é um termo genérico usado não apenas para homens homossexuais. Gay, na época, abarca também travestis e pessoas transexuais. A morte estava ligada aos LGBTs por um hífen.

O primeiro caso do vírus, ainda sem nome, é registrado em São Paulo em 1980, mas não é divulgado. A primeira reportagem sobre a doença é publicada no *Jornal do Brasil*, com o título "Câncer em homossexuais é pesquisado nos Estados Unidos". Em 1983, o estilista Markito, um dos costureiros mais famosos do Brasil, morre em Nova York. Em 1984, o boletim epidemiológico registra 105 mortes pela doença, ainda misteriosa. É em 1985 que a imprensa começa a noticiar a peste-gay. Por anos, a imprensa nacional propaga a informação incorreta de que a nova doença estaria restrita aos LGBTs.

Na metade dos anos 1980, o preconceito da sociedade floresce com força. A polícia embrutece o tratamento dado às travestis que trabalham no mercado de sexo — o que há pelo menos três décadas já não era digno, e se torna brutal. A polícia encontra um argumento para justificar o preconceito e uma política de opressão às travestis. Delegados começam a afirmar que, com a chegada da aids no Brasil, qualquer travesti que estiver se prostituindo está cometendo o crime previsto pelo artigo 130 do Código Penal Brasileiro: "Expor alguém, por meio de relações sexuais ou qualquer ato libidinoso, a contágio de moléstia venérea, de que sabe ou deve saber que está contaminado". A pena para esse crime é detenção de três meses a um ano. Ou multa.

O delegado Márcio Prudente Cruz, de São Paulo, defende que qualquer travesti que se prostitua na rua deve responder a processo por crime de contágio venéreo. A imprensa noticia que ele planeja pedir autorização à Justiça para testar compulsoriamente as travestis para HIV. Em entrevista à *Folha de S.Paulo*, o delegado Cruz negou que tivesse esse plano.

Em 1º de março de 1987, a *Folha* publica a notícia: "Polícia civil 'combate' a aids prendendo travestis". A reportagem é uma notícia de pé de página, longe de ser uma manchete. O texto tem oito parágrafos e um deles é só para esclarecer que Tarântula, o nome da operação policial, é uma aranha europeia. Ao lado da notícia, vêm outras notas sobre eventos em todo o Brasil, que dão uma dimensão da importância daquela notícia. As notícias vizinhas são: "Acidente na Régis Bittencourt mata quatro e fere dois", "Prefeito de cidade do Ceará é morto por desconhecido" e "Em MG, preso é acusado de assalto a caminhoneiros".

A guerra às travestis é vista e vivida na prática toda noite no centro. Na sexta-feira de Carnaval de 1987, por exemplo, a rua Marquês de Itu parece um tapete de gente. Centenas de pessoas entram na boate Homo Sapiens, e outras centenas ficam do lado de fora, bebendo em bares ou de pé, flertando e conversando na rua. De repente, há o barulho de guincho de pneus, seguido de um silêncio coletivo. "A polícia chegou e fechou o quarteirão", diz Claudia Wonder. Enquanto dezenas de pessoas fogem pelas calçadas, Claudia fica parada, em pé no meio da rua e grita: "Prender bicha é fácil! Subir o morro e trocar tiro com malandro ninguém vai". A multidão aplaude. O investigador a pega pela cintura e a joga no porta-malas do camburão, já aberto. Leão Lobo escuta o homem dizer: "Hoje a cobra vai fumar", e decide seguir o camburão, para tentar inibir os policiais de machucarem a amiga. Claudia passa horas na cela de uma delegacia do centro, e então é solta. O que talvez só tenha acontecido porque havia um jornalista vigiando os movimentos dos policiais. "Eu mesma não entendi a minha ousadia. Foi um impulso. Chega uma hora que o próprio espírito se rebela", conta Wonder.

Mas outras tantas travestis não têm amigos influentes para garantir a segurança. Nesse mesmo ano, 350 delas foram levadas em uma só noite para o Deic, o Departamento Estadual de Investigações Criminais. A violência não vem só do Estado, e não demora para surgir notícias de exterminadores de travestis. O jornal *Diário de São Paulo* publica em março de 1985 a manchete: "Em São Paulo, 15 travestis morrem com tiros na cabeça". Morrem, como se fossem agentes da própria morte, e não assassinadas. São raras as notícias que trazem o nome dessas pessoas.

Em 15 de março de 1985, um grupo de travestis liderado por Claudia Wonder decide chamar atenção da sociedade para a tentativa de extermínio desse grupo. Wonder conversa com militantes de grupos gays e de lésbicas. Pede apoio para uma marcha que jogue luz sobre o extermínio das travestis e a negação dos direitos fundamentais dessas pessoas. Muitos garantem que vão à marcha, para engrossar as fileiras e dar força à causa. Mas, no dia, a promessa não se cumpre. "No dia, os gays não foram. A gente então passou na pensão da Caetana e em algumas outras de travestis que se prostituíam. E fomos nós, duas dúzias de travestis", relata Claudia. A marcha, que na sua concepção seria de LGBTs, acaba sendo quase só de pessoas T. As travestis e transexuais saem do centro e ocupam uma única faixa da rua da Consolação, mas, pelo tanto de buzinas que os carros despejam, parece que estão fechando o trânsito.

Elas marcham montadas, de peruca e maquiagem. Carregam faixas com pedidos como: "Liberdade sexual para todos!" e "Paz! Abaixo a violência. Queremos campo de trabalho". Outras faixas pedem: "Nós, homossexuais, queremos sindicato" e "Os gays, reunidos com as travestis, pedem mais segurança".

Quando a marcha se aproxima do Instituto do Coração, um dos prédios do Hospital das Clínicas da USP, onde o grupo esperava encontrar com a imprensa, não há ninguém. O presidente eleito Tancredo Neves está internado no hospital, e por isso o prédio deveria estar cercado de imprensa. Mas a manifestação chega junto a uma notícia: o presidente eleito do Brasil havia acabado de morrer. E a manifestação sai pela culatra, como conta Claudia Wonder: "A gente perdeu todo o impacto. Ao contrário, ficaram bravos porque fomos pedir liberdade sexual com faixas na hora em que o presidente morre".

Esses anos de guerra contra as travestis do centro são decisivos para que as três rainhas da noite se firmem em atos de heroísmo. Cada uma luta ao seu estilo, mas todas medem seu poder contra o do Estado.

No auge da operação Tarântula, alguma coisa fora da ordem acontece na rua Rego Freitas. É sexta-feira, e o sol não terminou de se pôr quando uma viatura para na porta do Palácio Bláblábla, ainda fechado para os clientes. Jacques, que até anos atrás era conhecido como Jacqueline, vê da janela de sua suíte que quatro policiais estão na sua porta. Desce.

"Pois não, senhores?", pergunta ele aos policiais.

"Aqui é o puteiro", diz um dos quatro homens de terno.

"Aqui é minha casa. Meu salão de beleza", diz Jacques.

"Aqui é o puteiro", repete o mesmo policial. "Vai deixar a gente entrar?"

Jacques sai de frente da porta. Os policiais entram no salão de beleza do térreo. "Manda elas descerem", diz o mesmo policial. "Tem ordem para levar todo mundo para o Deic." Enquanto as prostitutas saem dos quartos, onde se arrumavam para uma noite de trabalho, Jacques some. A porta da suíte principal se tranca, e as prostitutas se sentem abandonadas. Uma delas, Tiniko, grita com um policial que tenta algemá-la: "Não põe a mão em mim! Não põe a mão em mim!". Enquanto os policiais as algemam, Jacques não volta.

O dono do palácio está no seu quarto, com a agenda de telefones no colo, discando o telefone fixo preto o mais rápido que consegue. Na agenda de couro, há o número de políticos, delegados e juízes. Enquanto Jacques disca, Tiniko se debate, tenta chutar os policiais e grita: "Eu não fiz nada de errado".

Mona vai até a porta da suíte. Bate de leve e diz "Jacqueline, pelo amor de Deus, faz alguma coisa! As meninas!". Ninguém responde. Os policiais trancam as prostitutas na traseira do camburão e embarcam na parte da frente do carro. Quando estão prestes a partir, algo acontece. Como que por mágica, um deles recebe uma mensagem no rádio do camburão. Sai da viatura e abre o porta-malas. Coloca as três travestis que já estavam apreendidas para fora. Tira a algema de uma por uma em silêncio. Alguma das ligações de Jacques surtiu efeito. O resto do clã nunca vai saber a quem ele apelou. A polícia parte, mas deixa para trás a porta de cristal quebrada. O Palácio de Blábláblá, que até então havia sido inviolável, está exposto. Do alto da escada, Jacques vê suas cinco filhas entrarem de volta. E, do salão de beleza, Mona vê que seu chefe chora.

"É SÓ MAIS UM INIMIGO"

Andréa de Mayo desce de uma kombi branca, em frente a uma casa noturna na Barra Funda. Já sai do carro dando ordens para as pessoas que a acompanham. "Você, leva os copos pra cozinha, passa uma água e deixa tudo numa mesa." Vira para outra pessoa: "Amorzinho, gelo. Precisa de todo gelo do mundo".

Andréa está ali para organizar uma festa. E a casa noturna em que desembarca foi emprestada para o evento, chamado Alerta Caridade. A festa, que começa à tarde e vara a madrugada, é para ajudar uma amiga. No começo dos anos 1980, Caetana, a mesma bombadeira loira de olhos azuis que atende as filhas de Andréa, muda o nome para Brenda Lee. E a pensão de Brenda, onde chegaram a morar vinte travestis, se torna nos anos 1980 uma casa de apoio para soropositivos. Brenda cuida de colegas doentes sem apoio nenhum do Estado, nos primeiros anos do HIV. Compra comida, remédio e cuida das pessoas acamadas sozinha. Sua casa, na rua Major Diogo, no Bixiga, ganha o apelido de Palácio das Princesas. A Casa de Apoio de Brenda Lee será reconhecida pela história como a primeira ONG a apoiar soropositivos na América Latina.

Mas, no meio da década de 1980, Andréa não sabe disso. Só está ajudando uma amiga. Banca os custos da festa e faz as vezes de mestre de cerimônias. É ela quem apresenta o show de humor de Silvetty Montilla e de dublagem de Izita. Estão na plateia a maioria dos ativistas que no futuro vai fundar a Associação da Parada do Orgulho LGBTQIAP+ de São Paulo.

Antes de dar seu lugar ao palco para a apresentação das artistas, Andréa faz um discurso de como a comunidade precisa se unir. "A gente já luta com o mundo. Já luta com polícia e com a sociedade. Essa doença é só mais um inimigo. E lutar a gente já sabe." O público bate palmas, e então festeja.

Não é só em público que Andréa ajuda na luta contra uma doença nova e misteriosa. Quando uma colega cafetina chamada Fernanda Loira está à beira da morte, só duas pessoas frequentam sua casa. Claudia Edson, quando está de férias no Brasil, e Andréa de Mayo, quase que diariamente e com pontualidade britânica. Andréa passa um pano molhado no rosto febril da amiga. Gasta horas pinçando pelos que nascem em lugares inesperados no rosto de Fernanda, que vai emagrecendo como se estivesse perdendo todo o ar que a preenchia. "Vamos tirar o chuchu para você ficar linda, amiga. Não dá pra fazer show com esses pelos", diz, fingindo que um dia ela vai conseguir sair da cama e ir dançar. Na virada da década de 1990, Fernanda Loira morre. A única pessoa que está ao seu lado é Andréa de Mayo e é a única que vai ao seu enterro. "A Andréa trocou a tranca do apartamento, na avenida Nove de Julho, e ficou para ela", diz Claudia. Mas a herança foi conquistada, defende Claudia Edson, que nunca foi amiga de Andréa de Mayo. "A Andréa tinha má fama, de cafetina pesada, do mal. Eu tinha um gênio muito duro. Ela também. Dois bicudos não vão se bicar. Mas, que ela conseguia ser um baita ser humano, quando queria, ela conseguia. Quando queria", diz Claudia Edson.

"MINHA CORAGEM VINHA DO MEDO"

Enquanto Andréa de Mayo usa seu poder para ajudar a construir estruturas de apoio, e Jacques usa sua influência para manter seu palácio blindado, Cristiane Jordan precisa se adaptar à nova lógica das ruas. Com a polícia usando cada vez mais violência, ela tem que dobrar sua proteção. Ou seja, dobrar a virulência que emprega para defender as filhas de violações do Estado.

Um dos conflitos liderados por Cris fica na memória de dezenas de travestis. É uma noite quente do verão de 1988. O camburão para na frente do bar da Sopa, na rua Amaral Gurgel. Claudia Edson, que está comendo um picadinho, para com o garfo no ar. Meia dúzia de policiais sai correndo da viatura. Há quinze travestis jantando no bar, perto da meia-noite. Os policiais começam a gritar ordens, como "Todo mundo na parede".

Claudia olha para a pessoa que está comendo ao seu lado no balcão. "Nós não vamos, né?", pergunta. "Só se você quiser", responde a mulher, de peruca black power e vestido de lantejoulas. "Eu não quero, não." As duas deixam os pratos pela metade e se levantam prontas para a guerra. Claudia Edson e Cristiane Jordan não são amigas. O embate da praça Rotary não foi esquecido, mas naquela noite há uma união em nome de um bem maior. No bar, as duas juntam forças. Literalmente. Claudia levanta uma cadeira de madeira enquanto Cristiane pega um filtro de barro do balcão e arremessa na direção dos policiais. A cerâmica terracota estoura como uma bomba, e faz com que os policiais se desagrupem. Depois, começam a jogar mesas. Pratos. Talheres. Até que as outras seguem o exemplo. "Nós quebramos tudo, meu amor", conta Claudia. "Minha coragem vinha do medo. Eu era muito traumatizada, tinha muito medo." Mas quem se assusta são os homens, que acabam indo embora. Nenhuma travesti é presa no bar da Sopa. Claudia Edson e Cristiane Jordan se sentam no balcão e terminam de jantar em meio a um local destruído. Como se fosse mais uma noite qualquer. Como se o centro não fosse um território em guerra.

Essa é apenas uma batalha, e uma das poucas que termina com a vitória do lado das prostitutas. A própria Claudia tinha acabado de perder outra disputa, com uma dupla de policiais apelidados de Neguinho e Alemão. "Eles quebravam as bichas no pau. Não levavam presa, não, batiam mesmo e deixavam na rua. Mas eu conseguia escapar. Eles vinham correndo atrás de mim e eu conseguia escapar." Até que um dia Claudia Edson está nua, atendendo, e é interrompida por um policial. “Eu saí correndo, pelada. Daí, chegou uma hora que eu não conseguia mais correr. Eu voltei pra trás com tudo e empurrei ele. Ele não esperava, caiu no chão. Chutei e pisei na cara dele. Enfiei o salto na boca.” Não demora nem um mês para a vingança chegar. Ela estava andando pela rua e não vê o que a atingiu. É o cotovelo do policial, que a esperava na esquina. “Ele quebrou os meus dentes, que eram todos pivô na época.”

Outra batalha de Cristiane se transforma em lenda do centro. Pelas próximas décadas, vai correr na boca pequena que uma travesti era tão forte que virou um carro de polícia, sozinha. É uma lenda com testemunhas oculares. “Eu vi. Não só vi como ajudei”, diz Claudia Edson. “Foi em 1989, ali embaixo do Minhocão. Era a viatura de um policial que perseguia todas. Ele desceu, foi atrás de alguém, deixou o carro, a Cris foi lá e arregaçou.” Quando Claudia chega, Cristiane já tinha quebrado os vidros da viatura. Ela afirma que as duas pegaram o veículo pela lateral e o tombaram, para a alegria de quem assistia.

Como todo acontecimento histórico pouco documentado, esse ocorrido varia de versão, a depender de quem conta a história. “Eu vi essa cena. Mas não era uma travesti só, eram algumas”, diz o dramaturgo Celso Curi. A cena se tatuou na memória de Curi, que inclusive a usa para abrir uma peça de teatro. Mas, no inconsciente popular, pouco importa se Cristiane virou uma viatura sozinha ou com a ajuda de amigas. Ela é a travesti que sobrevive a tiros e consegue levantar um carro. É o mais próximo que o bairro chegou a ter de uma supermulher.

Interlúdio

Boate Madame Satã

1987

Uma legião de pessoas vestindo preto desce uma escada. Estão a caminho da pista de dança subterrânea do Madame Satã.

No centro da pista, há um trio de músicos. Jovens usando couro, um com uma guitarra na mão, outro com um baixo no colo e o terceiro sentado atrás de uma bateria.

Entra uma pessoa na pista. Uma travesti de peruca loira desfiada. Os fios arrepiados saem da máscara de porco que cobre o seu rosto. Ela pega o microfone, com um fio longo que parece um chicote e dá seu boa-noite para o público. É Claudia Wonder.

"Hoje eu quero vomitar o mito. Vomitar esse mito de que travesti só serve para fazer dublagem."

Começam os acordes de um rock. Claudia Wonder está parada, com o microfone na mão.

"Eu sou o inferno e o destino..."

Não está dublando. A voz rouca é dela. Claudia Wonder canta enquanto abaixa o seu vestido.

"Um paraíso singular..."

Claudia termina de tirar o vestido e ajoelha. Está só de calcinha.

"Sorrindo, pedindo..."

Ela anda até o canto da pista, onde há uma banheira.

"Misturando as formas..."

Claudia Wonder começa a se debater dentro da banheira de sangue cenográfico. Mais de vinte litros de groselha dissolvidos em água, para ficar com uma textura grossa de sangue.

"Jardim das delícias..."

Alguém se esconde dos respingos atrás de duas pessoas idênticas, um homem e uma mulher andróginos com cabelo arrepiado e óculos escuros usados à noite com jaquetas de couro. Um punk dança e chapinha na água vermelha que escorre da banheira.

"Jardim das delícias..."

Ela mergulha a cabeça, enquanto mantém o microfone para fora d'água, levantado.

"Jardim das delííí-í-cias..."

Repete o refrão dez vezes, aspergindo sangue cenográfico na plateia. O sangue tem um simbolismo direto com a doença que atormenta uma geração.

Claudia para de cantar. A banda continua tirando som da guitarra, do baixo e da bateria. Ela rola na banheira. As pessoas começam a dançar ao redor.

Um festeiro se ajoelha ao lado dela e começa a lamber seu braço, grosso de groselha. Ela beija o homem na boca.

5. Um congestionamento de conversíveis na madrugada
1990

Andréa de Mayo está de joelhos, aos pés de um homem. Seu cabelo está preso em um coque, escondido embaixo de um boné. Seu rosto está limpo, sem nenhuma maquiagem. A calça, tamanho 46, está quase justa nas coxas, repletas de silicone, mas folgada nas canelas. Na parte de cima, ela veste uma camisa branca e ampla.

Andréa tira o boné, mas não solta o cabelo. Abre a camisa branca, botão por botão, até revelar o torso nu, sem sutiã. Olha para cima. O homem pega uma cumbuca na mesa à sua frente e vira o conteúdo sobre o rosto de Andréa. Um creme grosso e amarelo cai, e ela o esfrega no rosto e no torso, de olhos fechados. O homem a instrui a ficar naquela posição por meia hora. O creme que cobre o corpo dela é vatapá. O banho de comida é um ritual a que Andréa está se submetendo para agradecer ao seu orixá, e se expurgar de energias negativas.

Quem visse Andréa minutos antes poderia pensar que ela está prestes a cometer um crime. Ela para o carro de luxo em frente ao número 223 da rua Dona Antônia de Queirós, a um quarteirão das saunas e dos bordéis da rua Augusta. Desce e entra no edifício Sândalos, um lugar que parece mal-assombrado: as luzes da fachada estão quase todas apagadas e alguns apartamentos estão inacabados, sem janelas e portas. É que a construtora faliu no meio da obra, e o prédio só terminou de ser construído porque condôminos se cotizaram e pagaram o prejuízo. Quando sobe, vai em direção a um dos poucos apartamentos finalizados, com portas, janelas e acabamento, no décimo andar.

Andréa é recebida por um homem baixo, de nariz grande, lábios carnudos e cabelo pintado de preto, com tintura de farmácia. Ele está de terno, mas por cima usa uma veste indumentária com estampa típica da nação Egbá-Arakê, a mesma de Mãe Menininha do Gantois. É Pai Walter de Logunedé. Passam pelo apartamento de Pai Walter políticos como Paulo Maluf e artistas como Angela Maria. Ele é o pai de santo de uma elite que, na maior parte das vezes, oculta sua crença em religiões afro-brasileiras. E agora é o pai de santo de Andréa de Mayo.

Ela se ajoelha assim que entra na sala de Pai Walter, que tem uma cadeira de vime e três de couro. Beija a mão do guia religioso. "Meu filho", ele responde, e passa a mão na cabeça. "Andréa nunca vinha vestida de mulher. Vinha de Ernani, o nome de documento dela. Tinha vergonha de se mostrar como mulher para mim. E pedia que eu a chamasse de Ernani", diz Pai Walter.

Andréa passa a frequentar o apartamento de Pai Walter ao menos uma vez na semana na virada dos anos 1980 para os 1990. Descobre que seus orixás são Ogum e Oxum. Ogum é um guerreiro regido pela guerra e pelo fogo. Filhos de Ogum costumam ser corajosos, mas pouco afeitos à rotina. Sua outra orixá é oposta a Ogum em muitos aspectos. Oxum é uma divindade de água doce que é regida pela vaidade. Seus filhos costumam gostar de riqueza, de beleza e de brilho. As duas características convivem em Andréa. Ela é uma guerreira, mas uma guerreira que luta sobre um salto, dentro de um vestido feito pela melhor costureira de São Paulo.

Uma das comidas associadas a Ogum é o vatapá, feito de pão amanhecido, azeite de dendê e camarão. Um dos rituais que Andréa realiza quando vai para o apartamento do guia envolve os alimentos dos orixás. "Ela passava vatapá no corpo para Ogum, e depois oferecia na rua", diz Pai Walter. "A gente saía e deixava em um matagal aqui perto. É para purificar." O ritual de purificação acontece pelo menos duas vezes por mês. "Tudo o que é passado no corpo é uma limpeza. Ela vinha para se limpar. E tinha muita sujeira da rua para limpar aqui", diz o pai de santo. Mas a relação dos dois é amistosa e vai além das oferendas, pelas quais ela paga em dinheiro vivo. Depois de resolvidas as questões da alma, eles conversam sobre assuntos terrenos. É comum que almocem juntos.

No fim da década de 1980, Andréa de Mayo tem uma vida que parece completa e invejável. Até uma família ela consegue construir depois de adulta. Expulsa de casa quando era pré--adolescente, Andréa não retoma o contato com os pais. Em vez disso, se aproxima da família de sua melhor amiga, Angela Davis. Angela é uma das poucas travestis que canta, além de dublar. Sobe ao palco e, enquanto samba, interpreta o cancioneiro da MPB. Consegue, por exemplo, percorrer toda a letra de "Canta Brasil", música imortalizada por Gal Costa, enquanto samba, troca de roupa e brinca com a plateia da boate. Angela e Andréa se conhecem em um concurso de miss e viram irmãs. Não só porque as duas se aproximam muito, mas porque Angela leva Andréa para sua família. Uma coleção de vídeos amadores de festas familiares mostra como uma das rainhas da noite se porta com a guarda baixa, se sentindo em casa.

No Natal de 1988, Andréa está lá, à mesa com a mãe e os tios de Angela. No de 1989, também. Em 1990, ela não só aparece, como faz a filmagem, como se dirigisse um programa de TV. Andréa começa dizendo o dia, o ano e o horário, como se soubesse que aquilo é um registro histórico. Então, começa a passear pela festa com a câmera, parando cada uma das pessoas. "E você, é quem?" O homem responde: "Sou marido da Jaciele", e faz um movimento com o quadril para frente e para trás. Andréa, rindo, avisa: "Sua mulher vai saber que você esteve aqui, hein".

No fim da década de 1980, Andréa passa a levar mais uma pessoa para as festas da família que a adota. É Devair, um homem magro, com lábios carnudos, dentes alinhados e brancos, um nariz pequeno sob dois grandes olhos verdes, cobertos muitas vezes pelo cabelo preto e liso que joga sobre o rosto. As amigas brincam que ele parece um príncipe desenhado por Walt Disney.

Andréa e Devair se conheceram na noite. Em menos de duas semanas, já se chamam de marido e de mulher, e Devair se muda para a casa de Andréa, na Vila Mariana. Os dois são opostos que se atraem. Ele é tão calado que há quem pense que é mudo. Ela é articulada, falante, gesticula com as mãos. Ela é grande no corpo e no jeito. Ele se contrai ainda mais do que sua estatura tímida, andando à sombra de Andréa. Ela é a empresária. A cafetina. A rainha da noite. Ele vive de bicos. Mas, a partir do momento que se junta a Andréa, passa a viver do dinheiro dela. Devair é o homem por trás da mulher.

É em um desses vídeos caseiros, de festa de família, que Andréa define seu gênero. "A Andréa de Mayo é uma personagem, que eu monto. Não sou Andréa de Mayo o tempo todo. Nem conseguiria ser", ela explica para a câmera. É por isso que, nas filmagens familiares, ela sempre é uma figura andrógina. Aparece com o cabelo preso, sem maquiagem. Veste uma calça jeans branca e camiseta da marca de jiu-jitsu Bad Boy, mas as mãos estão cheias de anéis que ela conquistou na última década. Há uma cena que mostra o quão confortável ela ficava nessas festas: depois do jantar, Andréa está sentada no sofá. O cachorro Al Capone está no espaldar, lambendo seu rosto. Ela faz uma concha com a mão e cobre a cabeça do animal. Dá um beijo na boca do bicho. A câmera se move e mostra que Devair está esparramado bem em frente. Os dois estão completamente à vontade na casa da família de Angela. O cachorro corre até Devair e Andréa grita, simulando braveza: "Seu traidor!". Aquela também é a família de Andréa. Outras travestis e artistas aparecem nos vídeos, como Eduardo Albarella, que dá à luz Miss Biá, e Velha Veneza. Andréa é uma travesti de família. Tem sua fé, seu lar, seu marido, seu cachorro de madame, seus seis apartamentos, seu negócio em expansão e seus hábitos saudáveis: não bebe, não usa drogas e, se não tem trabalho à noite, dorme às dez em ponto.

Mas esse reinado só é perfeito a distância. Em uma madrugada, ela aparece sem avisar no apartamento de Pai Walter — está montada, com um vestido e batom vermelho, e olhos roxos.

"Pai, eu não queria que o senhor me visse assim."

O babalorixá faz sinal com a mão, para Andréa se aproximar.

"É só uma roupa. Você tem a sua e eu tenho a minha", diz Pai Walter.

Conforme Andréa percorre o corredor escuro, Pai Walter percebe que ela está chorando. Ela não espera chegar à sala de atendimento para começar a contar o motivo da visita noturna. "Eu achei que ele me amasse", diz. Ela está falando de Devair, percebe Pai Walter. "E um momento de desamor anula uma vida inteira de amor?", pergunta o pai de santo. Ela tira o cabelo da frente do rosto. Seu olho está inchado e roxo. Não é maquiagem, é um hematoma. Pai Walter põe a mão na sua cabeça. Não é uma bênção, mas sim um acalanto. Passa as mãos no cabelo de Andréa, como o pai que ela nunca teve. Ela desaba, leva a cabeça ao colo do babalorixá e chora. Andréa só vai embora quando o sol está raiando.

O episódio fica para trás. Andréa nunca mais aparece montada na presença de Pai Walter. Nunca mais aparece chorando. Nunca mais surge no meio da madrugada, sem avisar. Nunca mais comenta seus problemas conjugais. Meses depois, volta à presença do pai de santo, sisuda e firme, com uma pergunta bem objetiva para o oráculo.

"Eu quero abrir uma boate. Devo?", ela dispara à queima-roupa.

Ele pigarreia. Abre um tabuleiro de palha sobre a mesa e joga os búzios, que caem muito juntos, no canto direito, com as bocas para cima. Pai Walter interpreta o oráculo como um prenúncio de aglutinação, de rebu, de mau agouro. Mais potencial de dor de cabeça do que de lucro. "É mau sinal. O oráculo diz que não é para abrir", responde.

Andréa parece se ofender com o vaticínio. Levanta-se da poltrona e, já de pé, declara: "Bom, então o oráculo vai continuar falando. Que fale sozinho, porque às vezes a gente precisa desobedecer até pai e mãe".

Pai Walter tenta insistir com mais duas frases. Andréa está decidida a abrir a sua casa noturna, com ou sem a bênção dos orixás. Ela já pegou sua bolsa e está indo em direção à porta. "Era só isso mesmo, Pai Walter. Na semana que vem eu volto." Depois de perceber que não vai conseguir dissuadi-la do plano, o babalorixá se conforma, e pergunta: "Qual vai ser o nome da boate?".

"Prohibidu's", responde.

Pai Walter não diz mais nada. Andréa, que já está na porta, se vira, e pergunta:

"Você não quer saber o porquê do nome?"

Ele sorri e meneia a cabeça.

"Porque é proibido ser viado neste país."

Andréa de Mayo, Kelly Cunha e Jacqueline Welch
(Acervo pessoal Kelly Cunha)

Andréa de Mayo e Al Capone
(Claudia Guimarães)

Beth Carioca, Suzy Parker, Andréia Braun e Kelly Cunha
(Acervo pessoal Kelly Cunha)

Carro que acompanhou o enterro de Jacqueline Welch
(José Maria da Silva/Folhapress)

Rua em que ficava o palácio de Jacqueline Welch, hoje ocupada por condomínios de luxo
(Claudia Guimarães)

elly Cunha e Jacqueline Welch com amigos
cervo pessoal Kelly Cunha)

Kaká di Polly e Andréa de Mayo com amiga na boate Prohibidu's
(Acervo pessoal Kaká di Polly)

Rua Amaral Gurgel sob o Minhocão, onde, na década de 1990, ficava a Prohibidu's
(Claudia Guimarães)

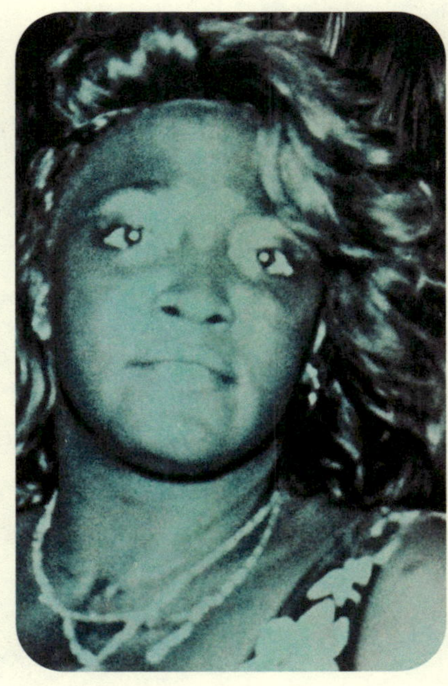

Cristiane Jordan
(Acervo Bajubá)

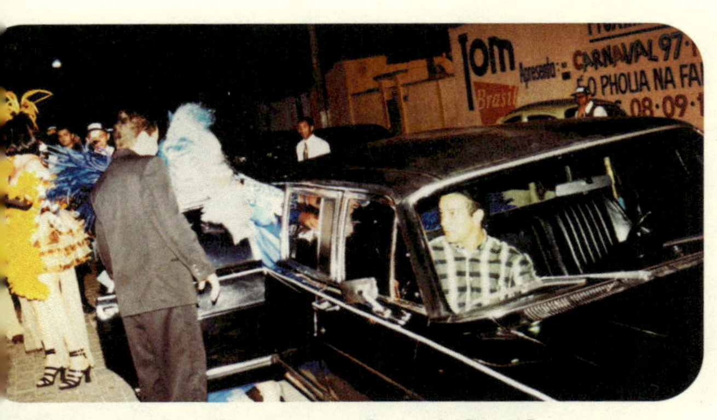

a entrada das festas, cada rainha chegava
o próprio automóvel
ervo pessoal Kaká di Polly)

Claudia Edson em frente à entrada da Prohibidu's
(Acervo pessoal Kaká di Polly)

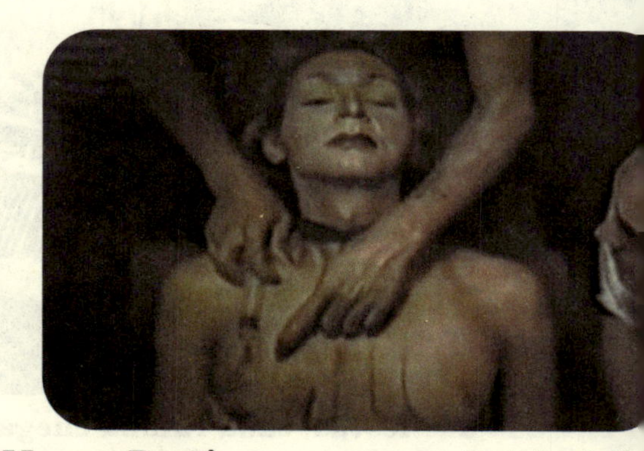

Andréa de Mayo e Bartô em programa de televisã
(DR/Still YouTube)

ndréa de Mayo em 1979 interpretando Geni
peça *Ópera do malandro*
ervo J. S. Trevisan. Reprodução de Marcos Vilas Boas)

Estão matando todos os travestis de São Paulo

E ANDRÉA VIRA HOMEM

Eles criaram um estilo de vida; desafiaram as leis da natureza; trocaram de nome e enfrentaram todo o tipo de preconceito para viver a vida que Deus não lhes deu. Traídos pelo desejo, porém, estão pagando por suas excentricidades com a própria vida. Em São Paulo, nos últimos quatro meses, 16 travestis foram assassinados ou sacrificados, segundo os moldes de uma inquisição rudimentar, onde o juiz (ou juízes) é também o carrasco. Mas quem é esse juiz (ou juízes)?

Um deles, pelo menos, a polícia já conhece e está preso. É o policial militar Cirineu Carlos Letang da Silva, de 29 anos. Ele não confessou o assassinato de três travestis, que faziam ponto no bairro da Lapa, mas o depoimento de três testemunhas é praticamente suficiente para incriminá-lo. Paralelamente ao trabalho da polícia, a comunidade *gay* arregaçou as plumas e resolveu se organizar, criando a Associação de Travestis de São Paulo.

Andréa de Maio, que já viveu a personagem Geni na peça de Chico Buarque e Ruy Guerra, na carteira de identidade é Ernani dos Santos Moreira Filho. Ernani/Andréa é o presidente da associação, que já conta com 200 associados e um universo estimado em 10 mil travestis e transformistas.

Andréa ou Ernani? Na vida diária, ela. Um dos dez mil travestis de São Paulo.

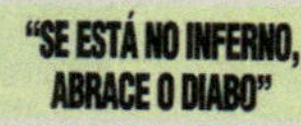

"SE ESTÁ NO INFERNO, ABRACE O DIABO"

Sem papas na língua, *ela* resolveu jogar no ventiladór da sociedade paulistana aquilo que mandaram jogar na Geni que viveu no teatro. "Muitos policiais e pais de família saem com a gente. Quando chegam em casa, eles passam a dar lições de moral." Homossexual desde os oito anos, Andréa explica que o objetivo do grupo é conscientizar a sóciedade para os direitos dos travestis: "Não existe lei que proíba homem de vestir roupa de mulher."

Responsável pela prisão do policial militar, a investigadora Carolina Milanelo, chefe da equipe R, do Departamento de Homicídios e Proteção à Pessoa, está sendo promovida à condição de

Andrea de Maio veste a *farda* de Ernani Moreira na hora de luta como presidente da Associação de Travestis de SP.

66 Manchete 24 DE ABRIL DE 1993

Revista *Manchete*, n. 2142, 24 de abril de 1993
(DR/Ruy de Campos e Gilberto Ungaretti)

Andréa de Mayo em casa com os cachorros
(Adi Leite/Folhapress)

A investigadora Carolina Milanelo e sua equipe: o anjo da guarda dos ameaçados travestis da capital paulista.

Um retrato da violência: travestis paulistanos visitam o tumulo de um dos seus 16 colegas assassinados nas ruas.

anjo da guarda das bonecas paulistanas. Há oito anos na polícia, ela garante que não se intimida com situações de perigo: "Nunca tive medo. Talvez este seja até o meu maior defeito." Desquitada, mãe de três filhos, Carolina parece uma pacata dona de casa. A maquilagem bem feita, os brincos vistosos e as mãos esmaltadas reforçam a impressão. Mas o pessoal de sua equipe garante: "Ela é um policial no exato sentido da palavra; ou seja, quando sai às ruas é para o que der e vier." Em sua bolsa, ao lado do frasco de perfume Opium, uma 765 e uma 45 milímetros, as armas com que já rendeu muitos bandidos. "Se você está na porta do inferno, abrace o diabo", costuma filosofar.

E o inferno está mesmo presente nas ruas de São Paulo. Graças ao dinheiro da família, Ernani/Andréa garante que nunca se prostituiu. É quase uma exceção no tão conturbado mundo das bonecas, onde nem tudo é purpurina. Alguns travestis colocam sua vaidade de lado e confessam: "A gente já está partindo para o varejão. Até por Cr$ 50 mil estamos transando." Leila e Fernanda, testemunhas do assassinato de uma colega na Lapa, admitem que, de tão apegadas à vida da esquina, mesmo com os riscos, chegam a aceitar programas até de graça. Afinal, como dizia Guimarães Rosa, viver é muito perigoso. "Não há prazer sem risco", acrescenta Leila. Em outras palavras, melhor morrer de tiro do que de tédio.

GILBERTO UNGARETTI

FOTOS DE RUY DE CAMPOS

24 DE ABRIL DE 1993 Manchete 67

Kaká di Polly e Andréa de Mayo em comemoração de aniversário

(Acervo pessoal Kaká di Polly)

Bianca Exótica e Cristiane Jordan
(Claudia Guimarães)

Márcia Pantera
(Claudia Guimarães)

enco da Medieval em meados de 1970
ervo pessoal Kaká di Polly)

a Prohibidu's
audia Guimarães)

(Nan Goldin, *Drag Club*, São Paulo, Brasil, 1996/Cortesia da artista e da galeria Marian Goodm

Em dezembro de 1997, Nan Goldin, fotógrafa norte-americana, acabou parando na Prohibidu's e, num registro raro, mostra como era o inferninho de Andréa de Mayo

(Nan Goldin, *Drag Club*, São Paulo, Brasil, 1996/Cortesia da artista e da galeria Marian Goodma

n Goldin, *Drag Club*, São Paulo, Brasil, 1996/Cortesia da artista e da galeria Marian Goodman)

) fim dos anos 1990, a Prohibidu's ainda impõe medo,
as pessoas de bairros ricos e distantes se deslocam
é o centro para conhecer o lugar, que vira uma espécie
cartão-postal da vida underground do centro

an Goldin, *Drag Club*, São Paulo, Brasil, 1996/Cortesia da artista e da galeria Marian Goodman)

Camarim da boate
(Nan Goldin, *Drag Club*, São Paulo, Brasil, 1996/Cortesia da artista e da galeria Marian Goodm

A Prohibidu's começa a ser frequentada por pessoas que não são travestis, nem homens que saem à procura delas. O lugar vira uma espécie de segredo bem guardado da noite paulistana. Um cálice sagrado que pode conter um vinho raro ou um veneno
(Nan Goldin, *Drag Club*, São Paulo, Brasil, 1996/Cortesia da artista e da galeria Marian Goodma

A BOATE DO BANHEIRO MÁGICO

Em 25 de setembro de 1990, o letreiro PROHIBIDU's se acende pela primeira vez em verde neon, dando início a uma década de brilho. A Prohibidu's fica no número 253 da rua Amaral Gurgel, que nesse trecho corre embaixo do Minhocão, um dos pedaços mais inóspitos do centro.

Antes de ser uma boate, o lugar era a casa de jogos clandestina de um homem chamado Carlinhos Dedo Sujo. Andréa, que já tem a experiência de gerenciar a Val Show e a Val Improviso, monta o negócio sem precisar de sócios. Arrenda a sobreloja, contrata os pedreiros, encomenda de duas travestis a decoração pensada por ela mesma, monta um bar com duas geladeiras domésticas e pronto. Está criada uma boate em que ela é a patroa, a única dona. Talvez chamar a Prohibidu's de boate seja uma imprecisão com a história. Uma generosidade.

A Prohibidu's é um boteco em cima de outro boteco de rua. A boate começa em uma porta estreita, cuja passagem fica ainda menor por causa de uma mesa que Andréa punha ali. É o seu posto de hostess, onde decide quem entra ou não. As pessoas aprovadas por Andréa sobem uma escadaria em forma de Z que leva para a boate. No primeiro andar, à direita, está a pista de dança. Um chão de grandes azulejos pretos e brancos, como um tabuleiro de damas, em frente a um palco mais baixo do que muitos dos saltos das frequentadoras. O fundo do palco é decorado com losangos de papel-alumínio. Na parte traseira da pista, fica uma arena de concreto, em formato de U, para os festeiros se sentarem, se deitarem ou fazerem o que o anonimato do breu permitir. Atrás do palco, há um camarim diminuto. À esquerda da escada, para quem sobe, há um bar com cinco mesas de plástico e, no fundo, uma porta escondida que leva para o escritório de Andréa, um cubículo onde seu quadril mal se encaixa. A fiação ainda está exposta quando as portas se abrem — e assim vai ficar por alguns anos. E é isso. A Prohibidu's não passa de cem metros quadrados escondidos em um pedaço perigoso, escuro e sujo do centro. Mas, assim como o banheiro do lugar, a boate parece ter alguma coisa de mágica. "O banheiro da Prohibidu's era para até três pessoas. Eu vi se enfiarem dez lá dentro. Foi o primeiro dark room de São Paulo, era uma coisa mágica", diz Kaká di Polly.

O que faz da Prohibidu's um lugar único em São Paulo não é sua decoração, nem a qualidade de som. É o fato de ser uma casa de travestis para travestis. É lá que as prostitutas e as artistas vão para se divertir, em vez de divertirem os outros.

A notícia da abertura da boate corre rápido e na primeira semana de funcionamento já se forma uma fila. Andréa fica na porta, atrás da mesinha, que tem uma gaveta onde guarda o dinheiro vivo, única forma de pagamento aceita. Ela é um misto de hostess com leoa de chácara. Não existe um valor fixo de entrada, é ela quem decide o quanto cada uma vai pagar — cada uma, no feminino, porque homem não paga. "Qual é seu critério para cobrar?", perguntariam a ela alunos da PUC em 1995, quando dedicam a Andréa uma manchete no jornal experimental *Grito*. "É o meu golpe de olho. Eu sei quanto cada uma merece pagar", responde.

Além do ingresso que varia de acordo com seu humor e simpatia, Andréa também impõe outras regras subjetivas na boate. "Ela era severa no começo. Parecia mais um internato de freiras do que uma boate", diz Kaká di Polly. As regras são: "Sem colocação". Ou seja, drogas são proibidas. "Sem putaria." Nos primeiros meses, ela até veta a entrada de saias curtas demais. Quando uma prostituta tenta entrar só de maiô, Andréa a enxota. Diz: "Essa roupa é boa pra fazer rua. Se quer entrar na boate, bota uma roupa de boate, querida. Parece que nunca foi pra Paris".

Mas a retidão dura pouco, e ainda em 1990, a Prohibidu's fica conhecida por ser a boate aonde travestis iam para se divertir, o que atrai legiões de homens. "Os boys que aceitavam estar ali naquela época eram meio babadeiros. Eram meio michês, meio criminosos, meio salafrários. Uma delícia, né?", conta Kaká. Já no primeiro ano, Andréa cria o que vai ser uma das marcas registradas da sua boate: contrata dois garotos de programa para servir as mesas sem roupas. Para eles, é uma oportunidade de negócio parecida com os concursos de mais belo membro que Andréa apresentava na Val Improviso e no Val Show, o salário era baixo, menor que o mínimo, mas é a oportunidade de conhecer pessoas que vão pagar bem para levá-los para casa ou para um hotel.

Além dos contos de luxúria, a boate também rende histórias de amor. No primeiro ano da Prohibidu's, Andréa está conversando na porta com Gretta Starr, a mesma que havia sido coroada no concurso de miss da Baixada Santista do qual Jacqueline Welch foi jurada. Entra um frequentador já conhecido da dona, um loiro de quase dois metros. Ele olha para trás, enquanto sobe a escada. Andréa o chama e diz: "Desce aqui, leva ela". Ele desce. Pega Gretta Starr pela mão. Os dois passam cinco anos juntos. "Ela tinha uma coisa de mãezona, sim", diz Gretta.

A Prohibidu's abre no meio da madrugada, por volta das três da manhã. E começa a esquentar com o nascer do sol. "A gente dizia que chegava 'já'. Chegava já colocada. Chegava já trabalhada nas outras boates. Chegava já com o dinheiro dos programas. Então chegava com tudo, pronta para se divertir", diz Maria da Periferia. As artistas que, como ela, chegam à Prohibidu's depois de trabalhar em outras boates, podem até faturar um troco. Andréa pede que reprisem os mesmos números que já apresentaram em outras casas, em shows que têm início às cinco da manhã, e vão até a clientela dizer chega.

Depois de cada espetáculo, Andréa sobe ao palco, agradece a artista com um abraço e passa um punhado de notas amassadas na mão. "Depois que você saía de perto e desamassava o dinheiro para ver quanto tinha, pensava: ganhei cinquentinha. Mas eram dez reais", conta Kaká, rindo. Gretta Starr narra a exata mesma história. Depois que ela apresenta sua dublagem de "E Poi", da diva italiana Giorgia, Andréa vai em sua direção, pega na sua mão, oferece algumas notas e diz: "Obrigada, querida". Ainda no palco, avisa: "Não abre a mão agora que é falta de educação". Gretta vê o dinheiro só quando já está a caminho de casa na esquina da Prohibidu's. "Tinha cinco reais", ela conta às gargalhadas.

Algumas poucas artistas são bem pagas para pisar na Prohibidu's. "Quando eu chegava da Europa, a Andréa me dava um cachê maravilhoso para fazer show às seis da manhã. Eu nem queria ir, mas ela me comprava", diz Marcinha da Corintho, a criança que Jacqueline abordou na rua na década de 1970, e que nos anos 1980 era a maior estrela da noite paulistana.

Embora seja muquirana, não falta dinheiro a Andréa. Desde o primeiro dia, a boate enche. A fila para entrar às cinco da manhã dobra o quarteirão. "As pessoas transformaram a Prohibidu's em uma lenda, mas na verdade o que a gente fazia ali é o mesmo que todo mundo faz quando sai de noite: encontrar as amigas, dançar, ficar feliz. Só que era tão fora de cogitação que as travestis tivessem um lugar para se divertir, sem precisar de carão, que as pessoas começaram a falar, começou a boataria", diz Maria da Periferia.

O sucesso comercial da Prohibidu's acontece em parte porque a prosperidade de Andréa vem junto com a prosperidade de uma geração de travestis. As europeias dos anos 1990.

A CHEFONA E O CARRO FALANTE

O voo da beleza pode parecer um negócio fácil e pouco arriscado, pelo número de travestis que fazem o trajeto e voltam se vangloriando. Mas a realidade é o contrário. Muitas travestis são presas, vítimas de golpes das cafetinas antes de sair do Brasil ou da violência de clientes que não podem denunciar quando já chegaram à Europa, porque estão no continente de forma ilegal. A trajetória de Claudia Edson ilustra o quanto de coragem um voo da beleza envolve.

Aos dezoito anos, Claudia tenta ir para a Europa pela primeira vez. Depois de anos trabalhando no centro, pega um empréstimo com uma cafetina e compra uma passagem. Vai disfarçada de homem e sem planos. Dá tudo errado. É apreendida na alfândega espanhola e fica cinco dias em uma cela subterrânea no aeroporto de Barajas, em Madri. "Era uma masmorra. Me davam pão e só. Fiquei arrasada", lembra. Depois de quase uma semana, é colocada em um avião de volta para o Brasil e repatriada. Fica um mês na casa da mãe e decide: "Quer saber? Eu vou com tudo". Procura uma cafetina de nome Elizette e consegue um segundo empréstimo, com uma taxa de juros surreal. "Ela me emprestou duzentos dólares. E eu teria que pagar 2500 dólares um ano depois." Mas dessa vez consegue entrar na Europa. "Viajei com a finada Karina. Chegamos na Espanha, e não tinha voo, então a gente pegou um trem para a Itália." Trabalha em Ravena, com Carla Gorda, que décadas depois seria uma lenda para todas as travestis que se arriscam no velho continente, e faz fortuna.

Quando volta, dali a um ano, Claudia Edson já tem dinheiro para pagar mais de dez vezes o valor que havia pegado no empréstimo, e para resolver outras pendências. Troca a prótese do peito com o dr. Puga, o médico mais respeitado dentre o seleto grupo que atende travestis, e com ele lima o pomo de adão. Compra e mobilha um apartamento na rua Paim, a mesma onde morou com uma cafetina antes de ir para a Europa. Monta uma casa para a mãe na cidade de Suzano. E ainda sobra para fazer tratamentos estéticos no rosto.

"Todo o dinheiro que vinha da Europa não ia para banco. Era trazido Deus sabe como", diz Divina Nubia. A própria Nubia realizou o sonho do apartamento próprio aos trinta anos. Ela volta dos meses de Europa com 35 mil dólares. "Mas eu estava penosa. Tinha gente que trazia 100 mil, 150 mil." Ao contrário da maioria, Nubia só anda no centro a pé, e dispensa joias, relógios e bolsas de marca. "Eu morria de medo. O dinheiro estava na minha casa. Por isso nunca tive carro zero. Nunca dei pinta." Mas a pinta é a praxe no centro: roupas de grife desfilam ao lado de moradores de rua, bolsas de alguns salários mínimos são deixadas em cima de balcões de botecos sujos e saltos projetados para a maciez das ruas parisienses se estragam em uma semana de asfalto paulistano.

Mas, por mais que sejam ricas, as travestis não têm onde gastar o dinheiro com diversão noturna quando estão de férias em São Paulo. Nos anos 1990, quase todos os lugares proíbem a entrada delas. Inclusive as voltadas para a comunidade que começa a ser chamada de GLS: gays, lésbicas e simpatizantes, sem incluir travestis e pessoas trans.

A Gent's e a Mad Queen proíbem a entrada de travestis. Na Homo Sapiens, elas só são aceitas para fazer show, ou se forem já artistas conhecidas da noite. A Nostromondo permite a entrada, mas com um crivo da dona, Condessa Mônica. "São Paulo sempre foi assim, podia ter travesti em cena, mas não na pista da boate", diz Divina Nubia. "Eu passei vinte anos sem pisar em uma boate para me divertir. Só me deixavam entrar quando eu ia trabalhar", conta Maria da Periferia.

A abertura da Prohibidu's cria um fenômeno único na rua Amaral Gurgel. Uma cidade pobre e violenta como São Paulo passa a ter um congestionamento de carros conversíveis às quatro da madrugada. É comum ver uma fila de automóveis que, somados, custam centenas de milhares de dólares. Em uma quinta, um Chevette vermelho-batom está atrás de um Opala Summer preto, seguido de um Maverick prateado. Na outra faixa, vêm um Mercedes branco, uma BMW preta e um Volvo da mesma cor. O país havia se fechado para a importação de carros entre 1976 e 1990, mas essa proibição acabara de cair, então a oferta de conversíveis é maior do que nunca. E as travestis voltavam da Europa para comprar qualquer carro importado à vista.

"Ia cada uma com seu carro, cabelão, bolsa. Isso incomodava a polícia, porque elas ganhavam vinte vezes num dia o que eles ganhavam num mês", diz Divina Nubia, que antes de começar a se montar foi uma criança que viveu no quarteirão das assassinas. "Todas tinham carrão. Umas não tinham onde morar, mas carrão precisava ter", diz Claudia Edson, que aprendeu ela mesma a lição na prática. Em setembro de 1992, ela volta para o Brasil com dinheiro e gasta tudo em imóveis. Só depois de zerar as economias se dá conta de que todas as amigas estão rodando de carro zero. "Preciso voltar para a Europa para comprar um carro. Todas as europeias tinham, afinal", lembra. No dia 1º de dezembro, volta à Europa. Três semanas depois, está mais uma vez no Brasil, com 6 mil dólares, e compra um Escort conversível uva, zero quilômetro. Claudia Edson passa a virada do ano na praia com as amigas, que descem a serra no seu carro novinho.

As europeias dão um jeito até de burlar a burocracia para poder dirigir no Brasil, já que raras são as que têm carteira de motorista. "Uma amiga, Fátima, tinha rolo com um cara do Detran. E ele conseguiu carta para todo mundo", diz Claudia.

Uma noite, Fátima chega no bar embaixo da Prohibidu's e começa a distribuir para um grupo de travestis carteiras de habilitação, como se fossem panfletos, são doze documentos que foram emitidos sem nenhuma delas ter feito uma única aula de autoescola, nem ter passado pelos testes teórico e prático. Em troca, as europeias passam notas de dólar dobradas para ela pagar o suborno do funcionário público. "As bichas davam nome pro carro. Enquanto isso, as daqui não tinham nem vale-transporte", ri Maria da Periferia. Claudia lembra da cena improvável: "A gente parava em cima da calçada, na frente da Prohibidu's. Era maravilhoso. Subia, ficava lá e escapava dos policiais. E ficava um congestionamento de conversíveis na Amaral Gurgel".

Mas o carro mais impressionante não é das clientes, e sim da dona da boate. Andréa chega à Prohibidu's espremida dentro de um esportivo branco que roda rente ao chão. É um Miura X8, um dos carros nacionais mais caros da história. O veículo vem cheio do que ela chama de "viadagens": revestimento interno de couro vermelho, ar-condicionado automático, um cinzeiro embutido em cada banco e faróis que se movimentam quando detectam ausência de luz. O carro não chega a ser um conversível, mas tem um teto solar que permite a entrada das estrelas. O banco traseiro é praticamente um enfeite, uma criança de três anos já ficaria apertada. "É perfeito pra mim, que não quero dar carona mesmo", ela brinca com as amigas. O sistema de som, por outro lado, é o dobro do de um carro comum. O Miura tem um rádio e, abaixo dele, um equalizador de som, como se fosse uma mesa de DJ em miniatura, com botões e manoplas para modificar a frequência das músicas.

O que mais impressiona, entretanto, é quando Andréa desliga o carro, na frente da entrada da Prohibidu's. Uma voz robótica sai do painel vermelho-sangue e ordena: "Prenda o freio de mão". Andréa prende. A voz metálica então manda: "Tire a chave da ignição". As pessoas que já fazem fila para entrar na Prohibidu's ficam boquiabertas. Em uma das primeiras noites de funcionamento, uma travesti cômica chamada Titica do Bundão puxa uma salva de palmas para o carro. Quando Andréa desce do automóvel, há uma dúzia de pessoas aplaudindo. Ela faz uma reverência, como se tivesse terminado uma peça de teatro, e assume o posto de porteira.

Há mais uma coisa em comum entre Andréa e a maioria das europeias: os carros são uma forma de investimento transitória. Quando vão embora, as europeias revendem os conversíveis recém-adquiridos, às vezes por metade do preço que pagaram. Ou deixam o veículo de presente para alguém da família. Mas não são seu principal investimento, já que o melhor jeito de guardar dinheiro é com imóveis. E elas começam a comprar apartamentos pelo centro. "A gente chegava comprando quitinete. Tinha bicha que tinha cinco no Copan", diz Claudia, que comprou meia dúzia de apartamentos ela mesma.

Além do dinheiro que compra carros e quitinetes, algumas trazem uma lembrança mais peculiar da Europa. "As bonitas traziam bomba de gás lacrimogêneo, para se defender. Andavam com bomba de gás na bolsa, e qualquer coisa era só dizer: 'Eu taco na sua cara, seu viadinho, seu puto'. E funcionava", conta Claudia, que por anos leva uma na bolsa, com espelho, batom e pinça. As bombas de gás lacrimogêneo são presentes de policiais italianos. "Eu trouxe horrores da Itália para a minha mãe, para ela andar no carro. Já joguei várias vezes em homem abusado ou em gente que tentava me assaltar. Os policiais faziam isso com a gente, ué. Nada mais justo."

Mas há um lado sombrio na riqueza que vem da Europa. Ao regressarem, as travestis acabam sendo vítimas fáceis para abusos de vários grupos diferentes. Segundo Claudia Edson, "existia uma maldade de mandar doce para as bichas europeias", o que em pajubá é dar um golpe em uma inimiga. O doce poderia ir do furto de uma peruca a contratar um assassino de aluguel. "Tinha o perigo de você se relacionar com um homem e ele sacar que você tinha dinheiro. E querer te roubar." Os oportunistas não são o único perigo para a riqueza das europeias. "A polícia sabia que travesti que tinha carro zero era da prostituição. Botava droga no carro, roubava o carro, exigia dinheiro para não levar presa.

Todo mundo corria muito risco", diz Nubia. "A polícia mandava doce. Perseguia. Teve caso de polícia entrar na casa da travesti e revirar tudo atrás de joia e de dinheiro. Levaram tudo embora", conta Claudia. Os casos não são denunciados à própria polícia, e por isso nunca passam a existir no mundo da burocracia ou da Justiça.

As ruas oferecem ainda outro risco para as europeias: Cristiane Jordan. "Muitas quando vinham pro Brasil acabavam recebendo a multa da Cris. Ela te encontrava na rua e dizia: 'Hmmmm, mas tá fina, tá rica'. Elogiava o seu perfume, seu colar ou sua bolsa. E é claro que a gente dava. Tinha que dar uma bolsa, um perfume, um ouro, uma joia. Um *cadeau*", diz Divina Nubia.

O apartamento de Cristiane no edifício Redondo aos poucos vai se transformando em um museu. Se nas primeiras semanas o imóvel só tinha um colchão no chão e o urso de pelúcia preto, na década de 1990, o apartamento de um quarto parece um free shop. Dezenas de frascos de perfume, colares pendurados na parede. E, na cama, um exército. Enfileirados sobre o lençol estão dezenas de bichos de pelúcia que Cristiane ganhou das filhas e das admiradoras. Um Dumbo faz par com um sapo que segura um coração dizendo "I Love You" e com um Ursinho Carinhoso rosa. Há três Minnies, duas falsas, com os traços disformes, e uma verdadeira, trazida da EuroDisney. Em frente a todos, soberano, está o urso preto e já gasto, de tanto dormir abraçado. "Só eles que podem deitar aqui", brinca Cris quando recebe alguma rara visita em casa.

6. Gigi, Xuxa e Consigliere

Cristiane Jordan está mais forte do que nunca na década de 1990. Seu domínio não está mais limitado à praça Rotary. Ela é a cafetina de ao menos 22 quarteirões do centro.

Como se estivesse jogando Banco Imobiliário, ela conquista novos territórios. A esquina da General Jardim com a Bento Freitas passa a ser dela quando uma cafetina antiga, de nome Natalia Natal, decide voltar para Pernambuco. Cristiane paga milhares de dólares pelo ponto e pelo passe das filhas de Natalia. Outras esquinas e pedaços de calçadas são conquistados na base da invasão. Cristiane ameaça quem tentar se prostituir lá, depois de fincar uma bandeira imaginária com o seu nome. E, onde ela manda, há uma série de regras.

"Não deixava roubar. Não deixava bicha desmontada trabalhar, não deixava bicha feia descer. Ela botava ordem no centro", diz Divina Nubia. A partir do fim dos anos 1980, as travestis que querem se prostituir nas ruas do centro precisam procurar Cristiane Jordan. É ela quem organiza as peças da prostituição no tabuleiro dos quarteirões. Além de designar um ponto para cada prostituta, ela impõe um preço diferente para cada uma delas, pago sempre às sextas-feiras.

"A tabela era a cabeça dela. Olhava para sua cara e dizia: você tem que me dar tanto. E você, tanto", explica Kaká di Polly. A cobrança pode parecer arbitrária, mas tem lógica, defendem as amigas. "Quanto mais bonita você era, mais pronta você já fosse de corpo e de cabelo, a taxa ficava mais cara. Porque você ia trabalhar mais." Além da beleza, há outro atributo que influencia no preço de Cris. "As que tinham pau pequeno pagavam menos. Porque as que tinham pau pequeno não iam trabalhar tanto. O brasileiro ainda contrata a travesti para ser comido, a maioria quer a travesti para poder chupar e dar para ela", diz Kaká. "Era um sistema muito justo, a Cris podia ser muitas coisas, mas ninguém pode dizer que não era justa."

Para garantir sua soberania, Cristiane Jordan conta com toda a mitologia que envolve sua figura. Antes de entrar em um boteco, já sabe que seu nome vai ter invadido o lugar. Ela não tem dúvidas de que quando as pessoas virem sua figura alta e imponente, vão começar a trocar histórias, fantasiosas ou reais, sobre ela. Alguém vai dizer que tem um pacto com o demônio. Outra pessoa vai assentir, e adicionar que é irmã de oito policiais militares, por isso nunca para na cadeia. Um terceiro vai afirmar ter visto Cris Negão jogando cadeiras na polícia. Das três anedotas, só a última é verdadeira. Mas isso não importa. Porque o poder não está baseado apenas na verdade, mas em percepções. Cristiane Jordan é percebida como imortal e impiedosa. O poder está onde as pessoas acreditam que esteja, e Cristiane consegue convencer uma cidade inteira.

Quando a fama não basta para Cris conseguir o que deseja, ela conta com a ajuda de três assistentes: Gigi, Xuxa e Consigliere. Gigi é a gilete que leva escondida na gengiva. Xuxa é a faca presa por um elástico de cabelo — a famosa xuxinha — na perna. Já Consigliere é o revólver 38 de cano curto que leva na bolsa. O nome cosmopolita veio de um filme de gângster que Cris assiste de madrugada na TV aberta: Consigliere era o conselheiro do chefão da máfia. "Se ela falava do Consigliere, já sabe, o negócio era correr", diz Kaká di Polly. Mas Consigliere raramente aparece. Uma das poucas vezes em que o metal vê a luz da noite é quando um grupo de quatro adolescentes para um carro importado e contrata uma travesti conhecida como Lolla PG, porque vinha da Praia Grande. Lolla fica no banco de carona e eles se revezam no banco do motorista para receber sexo oral. Ela dá prazer a cada um deles, enquanto os outros observam. Terminado o serviço, ela cobra o preço combinado. Eles a jogam para fora do carro. Cristiane calha de estar passando quando o veículo, provavelmente do pai de alguém, corre. Ela atira na lataria e nos pneus. O carro não para, e as travestis passam anos se perguntando se ela feriu algum dos playboys que tentou ciscar no centro de Cristiane Jordan.

Pode parecer que Cris age sozinha como uma samurai, mas ela não está alheia às relações de poder do centro — a verdade é que ela só consegue reinar pelas ruas porque tem as aliadas certas. Por anos, é vista nas ruas com Marcinha da Corintho. "Eu conheci a Cris quando trabalhava no bairro de Santana, longe do centro, e estava começando a me hormonizar, ainda era um gayzinho. Um dia fui visitar o centro, para ver aquele fervo todo." Marcinha vai comer um pastel na rua Marquês de Itu, em frente à boate Homo Sapiens. E lá é vítima de um golpe. "Uma gay me chamou para ir no banheiro. Eu, sem maldade, fui. Ela deu na minha cara, pegou meu dinheiro, e eu saí chorando", diz Marcinha. Cris vê Marcinha chorando na calçada e pergunta: "O que aconteceu?". Ela conta. Cristiane desaparece. E volta com o dinheiro da desconhecida. "Ela deu na gay, pegou o dinheiro e me devolveu. Falou assim: 'Agora você vai pra casa da sua avó, que o centro não é lugar pra criança', e me deixou no ponto de ônibus." Esse ato de caridade cria uma relação de gratidão entre Marcinha e Cristiane. Uma gratidão que ela poderia retribuir dali a uns anos, quando fosse a travesti mais famosa dos palcos de São Paulo.

Na década de 1990, Marcinha já é uma estrela. Foi a grande atração da noite paulistana por anos, até se mudar para Milão, onde começa uma carreira na prostituição tão bem-sucedida que consegue comprar um apartamento na Via Melchiorre Gioia, uma das ruas mais nobres da cidade italiana. Mas, quando volta para o Brasil, Marcinha está frágil. Tem inimigos e teme pela inveja alheia. E, para isso, conta com a proteção de Cristiane Jordan. "A Cris foi meu anjo, a minha defensora. Tudo de ruim que me acontecia, quem resolvia era ela." As duas são tão próximas que Marcinha leva Cristiane para a casa da sua família. "A minha avó conheceu a Cris. Foi a única pessoa da noite que levei para casa." Além de abrir sua vida pessoal e cobrir Cristiane de *cadeaux* que traz da Europa, Marcinha também dá status à cafetina das ruas. As prostitutas que veem as duas juntas pensam que Cristiane teve um dedo no sucesso de Marcinha, o que não é necessariamente verdade.

Mas Cristiane Jordan se vale dos mitos que criam sobre ela. E também é mais diplomática do que sua fama deixa perceber. Em 1991, alguém procura Cristiane com uma missão: dar um doce para Darbi Daniel, o rei da noite, que se fantasiou de Branca de Neve para a festa de aniversário da Medieval, e que, nos anos 1990, é o agenciador oficial de travestis para participar do programa Silvio Santos. Darbi está em casa quando o telefone toca, às onze da noite. Cristiane Jordan tenta dizer alô, mas não consegue parar de rir.

"Cristiane, é você?"

Ela engole o riso e reúne ar para contar a razão da gargalhada.

"Bicha, me ofereceram quinhentos dólares para dar um doce pra você", conta Cris.

O coração de Darbi dispara, como se estivesse correndo uma maratona, e não sentado em casa, com o telefone no colo. Ele fica em silêncio.

Cristiane volta a falar: "Mas você vale muito mais do que quinhentos dólares, né, bicha?".

Ele bate o telefone e respira aliviado. Seu coração, entretanto, ainda não parece convencido de que está seguro. Darbi Daniel jamais ficaria sabendo quem está disposto a pagar quinhentos dólares para ele tomar uma surra, ou coisa pior. A partir desse momento Cris ganha mais um aliado poderoso. Esse é um dos trabalhos que recusou. Outros tantos, ela aceita. E cumpre em lugares públicos, para que todos vissem do que é capaz.

Em 1992, ela arranca a peruca de uma travesti que tinha furtado dinheiro de colegas e começa a chicoteá-la com o cabelo sintético, no meio da rua, enquanto a segura pelo braço. "Você acha que uma peruca não pode machucar? A bicha ficou inteira cortada, sangrando, como se a peruca fosse feita de arame farpado", diz Maria da Periferia.

Em 1993, Cristiane é contratada por três travestis para dar um doce para o ex-namorado de uma delas, que agora quer cafetinar o trabalho das três. Ela encontra o homem, alto e forte como ela, na porta de um boteco a passos da Prohibidu's. "Você que é o Marcos Sá?" Ele assente, sem perguntar quem ela é. Cristiane pega o porta-guardanapo de metal de cima do balcão e bate na cabeça dele até que a superfície, que era lisa, vire uma curva prateada com manchas vermelhas, que escorrem no chão do boteco.

Em 1994, ela intercepta uma prostituta catarinense que se recusa a pagar sua taxa semanal, às sextas-feiras, arranca sua peruca, joga no meio-fio, tira a touca de meia usada entre o cabelo natural e a peruca e também a descarta. Enche a mão com o seu cabelo verdadeiro, e a arrasta até o hotel onde mora, para pegar joias, perfumes, roupas e qualquer outro bem que possa saldar a dívida.

Mas mesmo o poder crescente de Cristiane Jordan tem limites no centro. A fronteira geográfica é clara. Cristiane manda nas ruas, mas seu poder morre na porta da Prohibidu's. Ali dentro é jurisdição de Andréa de Mayo. As filhas de Mayo também não precisam responder a Cristiane Jordan, mesmo que estejam se prostituindo nas ruas. É um equilíbrio tenso e tênue que nunca foi acordado na teoria, mas que nunca é rompido na prática. Assim como a relação de Cristiane e Andréa.

Os encontros entre as duas são cheios de cortesia e de desfaçatez. Como a cena que abre este livro, em que Cristiane entra na Prohibidu's sem pagar, sob um sorriso de Andréa.

Jamais houve um embate público entre as duas, que no máximo, trocam alfinetadas pelas costas. Quando Andréa não está por perto, Cristiane às vezes ressuscita o apelido Frankenstein para se referir a ela. Já Andréa não cansa de dizer "Esse negão não presta", quando alguém na roda de conversa suscita o nome de Cristiane Jordan.

"ACABOU PARIS"

Também é nesse período que a geopolítica das travestis europeias se altera. Paris vai deixando de ser uma opção de destino para as trabalhadoras do sexo, por causa do mercado saturado, com imigrantes do Leste Europeu e de ex-colônias francesas, como a Argélia e o Marrocos, e de um ambiente cada vez mais inóspito às profissionais — no começo dos anos 1990, os jornais parisienses começam a noticiar a morte de travestis no Bois de Boulogne. No verão seguinte, as europeias que voltam ao Brasil já trazem a notícia: "Acabou Paris. O babado é a Itália ou a Espanha". Nunca foi levantado o número de travestis brasileiras que entram em um avião para tentar a sorte em um continente desconhecido. Mas, nos anos 1990, há centenas de histórias. Inclusive o registro em jornal de um voo fretado só para travestis, ligando São Paulo a Milão.

Uma das poucas que não vai para o velho continente, apesar de mentir que foi, é Cristiane. O que serve de alívio para algumas das travestis que foram maltratadas por ela nas ruas de São Paulo. "As bichas na Europa davam graças a Deus que a Cris não podia ir. Porque, se fosse, ia ser um demônio. Se aqui ela já era, com um mísero cruzeiro, imagina com lira, franco, libra e dólar. Ia ser o terror", diz Divina Nubia.

Mas, mesmo sem nunca ter pisado fora de território nacional, Cristiane começa a agir como uma europeia. Compra, com diferença de um ano, dois cachorros que brinca serem os totós da madame. Um poodle chamado Nicky e um lhasa apso chamado Júnior. Um dia, na rua, Kaká di Polly cruza com Cris. Nicky vai em uma coleira rosa, e Júnior está dentro de uma bolsa coberta de monogramas da Louis Vuitton. Kaká pergunta qual é o nome completo do lhasa.

"Júnior vem sempre depois de outro nome, né? Do nome do pai ou do avô. Ele é Júnior de quê, Cris?"

"De mim. Ele é Cristiane Jordan Júnior."

"Mas ele é macho", diz Kaká, brincando com a voz fina e a mão sobre o colo, como se estivesse muito chocada com a subversão de gênero.

Cris só revira os olhos, sorri, mostra o corpo todo com a palma da mão, e diz: "Bicha, e eu sou o quê?". As duas se despedem chorando de rir.

A opulência de Cristiane também permite que ela realize um sonho. O apartamento de um quarto, e menos de 40 m², passa a contar com os serviços de Susana, uma empregada doméstica. Quando não está na rua, Cristiane está deitada com seus bichos: os cachorros e os bichos de pelúcia. Vê TV, faz banhos de creme, manicure e atende as filhas que têm problemas. Quando a campainha toca, Susana abre a porta, vê quem é e pede para esperar cinco minutos. Cristiane só vai receber quando estiver disposta, o que pode levar até meia hora.

Quando Cristiane finalmente recebe as filhas, está sentada na cama em meio aos bichos de pelúcia, tomando café adoçado com meia lata de leite condensado, que não oferece à visita. Os assuntos são sempre problemas; de um namorado agressor até a vontade de se aposentar e voltar para a cidade natal. Para tudo, Cris tem uma resposta. Se alguém está atrapalhando os negócios da filha, ela promete dar um jeito sem cobrar nada — o serviço está incluído nos pagamentos semanais. Se a vontade é de largar a vida, ela age ao contrário do que se espera de uma cafetina. Dá conselhos como: "Se conseguir largar, larga. Viver na rua é coisa de ratazana, não de gente. Sua família te aceita de volta? Então, vá". Mas, mesmo incentivando, ela sabe que poucas têm coragem de largar a prostituição, a única profissão que oferece uma vida financeiramente decente para uma travesti. Mas tem um tipo de conversa que Cristiane Jordan detesta. Um papo que é cheio de silêncios e engasgos, e geralmente começa com uma variação da frase: "Acho que a Tia chegou".

A Tia, com letra maiúscula, não é uma parente. É o vírus HIV, geralmente em um estágio de infecção já avançado quando se manifesta como aids. Cris não abraça nem acalenta as filhas que a procuram por razão de saúde. Recomenda que vão à casa de Brenda Lee, o Palácio das Princesas, que tem contato com o Hospital das Clínicas, um dos melhores centros de tratamento do Brasil. Quando acaba a conversa sobre o medo do HIV, e a filha vai embora, Cris comenta com Susana: "Me pede pra matar três.

Mas não me pede pra salvar uma vida. Que coisa triste do caralho", e volta a fazer as unhas e a assistir a novelas antigas na TV.

O que ninguém sabe é que Cristiane Jordan também faz benemerência com o dinheiro que acumula. Como em uma noite do primeiro semestre de 1995 em que a boate Nostromondo anuncia um retorno especial: Lenka Saad está de volta para a noite. Lenka é a drag queen caricata mais famosa da noite. Faz piada da própria feiura e pobreza, e ri dos defeitos do público, e assim conquista milhares de fãs. Silvetty Montilla, outra lenda do humor de boate, anuncia no palco a volta: "Todo mundo gosta, todo mundo admira. Ela está supercontente de estar de volta. Um aplauso supercarinhoso para o talento de Lenka Saad".

A plateia ruge com palmas. Aparece Lenka, uma mulher nariguda com uma peruca loira brilhante e lábios carmim. Ela está com um vestido de lantejoulas vermelho e parece saída de um filme de Almodóvar. Lenka e Silvetty dão um abraço de quase um minuto no palco.

O público não para de gritar: "Len-ká, Len-ká, Len-ká".

Ela pega o microfone. "Eu tive ajuda de tanta gente, tantos amigos, vocês não imaginam."

A fala de Lenka é salpicada de gritos de "Linda!".

"Deus existe e eu já sabia disso", continua Lenka, com a voz embargada. Ela para um segundo. "Passei quinze dias descansando. Quinze dias em um spa maravilhoso chamado Emílio Ribas. Fiquei quinze dias jogada, maravilhosa." Emílio Ribas é o centro de infectologia do Hospital das Clínicas da Universidade de São Paulo, onde nos anos 1990 estão reunidos os esforços de pesquisa para entender a aids.

"Você achou que eu voltava?", ela pergunta para uma pessoa da plateia. E então conta: "Vocês fizeram corrente para mim. Até corrente de strass fizeram". O público gargalha.

Lenka segue fazendo da sua miséria a alegria do público.

"Quase que viro crente, mona! Uma tia minha, de Ourinhos, chegou e foi me visitar com uma Bíblia enorme, grossa, eu morrendo de dor de cabeça e ela batendo a bíblia e gritando aseererrê!"

A plateia vem abaixo com gargalhadas. "Eu abri o olho e estavam meu pai, minha mãe, um monte de bicha e de trava, e eu me perguntando, onde estou? O céu é assim?" Ela termina o assunto e volta a fazer piadas, fazendo graça dos outros e de si mesma. "Espelho, espelho meu, existe uma bicha mais bonita do que eu?" Faz um segundo de silêncio e termina a piada. "Eu sei que vai existir um monte, então saio andando e nem espero ele responder." O público bate palmas e grita, enquanto Lenka sai do palco.

Depois que o show acaba e a pista de dança é tomada por música dance, Cristiane Jordan aparece no camarim. Chega bem perto de Lenka, que está sentada, exausta com o fim do primeiro show depois da alta, ainda fragilizada e doente. Cris fica ereta como uma parede ao lado dela. Só estende a mão, que termina em um lenço colorido.

"Bicha, toma. Só pega e não fala mais nada. Nunca mais", diz Cristiane. Ela olha para frente, e não para baixo, onde Lenka está sentada. Lenka brinca: "Já estou toda fodida e ainda vou tomar um doce?". Cristiane não responde. Lenka abre o lenço, Versace, ou imitação. Dentro dele, há mais de 5 mil dólares em notas de cem. Quando olha para cima, com o colo cheio de notas, Cris não está mais no camarim. Cristiane Jordan é fada-madrinha para uns e madrasta malévola para outros tantos. Seu trabalho é meio serviço social e meio achaque.

Lenka morreria no fim de 1995, vítima de infecções oportunistas decorrentes do HIV. Mas não sem antes desobedecer uma ordem de Cristiane Jordan. Sua língua ferina não aguentou: ela conta para um punhado de amigas do presente que recebeu da delegada do centro.

Quase dez anos antes, em 1987, o dramaturgo e diretor de teatro José Celso Martinez Corrêa havia feito um apelo. Seu irmão, o também teatrólogo Luis Antônio Martinez Corrêa, foi morto com mais de cem facadas em seu apartamento, em Ipanema, no Rio. A classe artística se uniu, após perceber que a polícia não estava investigando o caso como merecia. Atores como Grande Otelo e Fernanda Montenegro fazem um manifesto. Um texto que afirma que gays, lésbicas e travestis são tão cidadãos quanto qualquer outro. E que sua morte merece ser investigada seriamente pelo Estado. "É preciso reinventar a Justiça. É preciso reinventar a polícia. É preciso reinventar o Estado", disse José Celso Martinez Corrêa. E era exatamente o que estavam fazendo, a seu modo, no centro da cidade duas líderes: Andréa de Mayo e Cristiane Jordan.

PASSADA PELA MORTE DE SENNA

Jacques morreu para Jacqueline renascer. Antes da virada dos anos 1990, Jacqueline Welch está de volta do mundo dos mortos, como se tivesse acordado de um estado de criogenia. Sem avisar ninguém ou dar uma festa para celebrar o milagre da ressurreição, Jacqueline aplica próteses novas nos seios com o dr. Puga e resgata do armário os vestidos que usou por anos. Ela ressuscita no momento em que seu império está gangrenando. No começo dos anos 1990, ela já vendeu a boate Dani's, que virou um bar, e amarga a queda no número de clientes do bordel, que segue um modelo de negócio que não faz mais sentido. A oferta de travestis prostitutas cresceu vertiginosamente nas duas décadas seguintes aos anos 1970 e a popularização de procedimentos de beleza, como aplicação de silicone em prótese em vez de líquido, também aumenta o número de profissionais com um corpo que, até anos antes, só vinha para quem tirava a sorte grande na loteria genética. Assim, as filhas de Jacqueline deixam de ser miticamente mais bonitas do que as travestis de rua.

Não que a figura da cafetina esteja em perigo. As prostitutas de rua continuam sob as asas de cafetinas, que também as controlam com mãos firmes. Mas o preço alto cobrado em um bordel de luxo no centro da cidade, com candelabro e móveis de veludo matelassê, já está antiquado. A novela *Tieta*, que vai ao ar em 1989 e 1990, mostra um bordel que, mesmo na cidade fictícia de Santana do Agreste, no interior do interior da Bahia, já é mais moderno do que o castelo de Jacqueline. A visita cruel do tempo chega aos poucos, e faz com que os clientes — e o dinheiro — parem de entrar no palácio.

As filhas de Jacqueline partem e não são substituídas. Morrem, se aposentam ou se casam e ninguém é contratada para repor a equipe. Beth Carioca passa quase vinte anos no bordel, mas em 1990 volta para o Rio de Janeiro, onde é conhecida só como Beth. O salão de beleza segue funcionando, mas também sem o monopólio anterior. O centro passa a ter outras cabeleireiras, maquiadoras e depiladoras que não recusam a clientela que trabalha na rua. Os negócios são caseiros, ou em salões mais precários, o que resulta em preços menores do que os de Jacqueline.

Mona um dia chama Jacqueline para conversar. Conta que está cansada. Foram quase duas décadas no centro. Vai aceitar um emprego nos Jardins, no primeiro salão da rede Jacques Janine.

"Até você?", pergunta Jacqueline.

"Eu fui a que ficou mais tempo", responde a funcionária. Mona vai abraçar Jacqueline, que vira as costas e mastiga um xingamento para a melhor amiga. Jacqueline encerra o salão de beleza no começo de 1992. O bordel ainda dura mais alguns meses, mas tem o mesmo fim. Ela fecha as portas do palácio com um bom pé-de-meia que amealhou ao longo dos vinte anos de cafetina de luxo. Mas segue ali dentro, sozinha. Ou quase. Jacqueline segue empresariando algumas das filhas, que vão trabalhar na rua. Mas a casa se esvazia. A irmã Sandra é a única pessoa que ocupa a casa de cinco quartos com ela. A decoração vai decaindo, poeira se junta ao veludo, os espelhos bisotados das paredes ganham manchas que só aumentam. Jacqueline sai pouco à rua. E, quando sai, está sempre acompanhada. Leva em coleiras prateadas os dois dobermanns que comprou para guardar a casa vazia, Zeus e Apolo. Ela se torna uma espécie de cartão-postal humano. Ao contrário dos cachorros, já não desperta medo ou respeito nas travestis recém-chegadas à cidade. "Ela era uma peça de museu. Uma bicha velha que ninguém mais conhecia. Que tinha deixado de fazer sentido", diz Lorenna Sun.

Até que, no dia 29 de abril de 1994, Jacqueline sai sem dizer para a irmã aonde vai. Bota um dos melhores vestidos, preto com paetês, uma peruca loira e vai para a rua. Entra no seu Chevette preto e roda apenas dois quarteirões. Estaciona o carro na garagem da praça Roosevelt e entra em um dos prédios do chamado Paredão da praça Roosevelt, um maciço de edifícios que têm apartamentos desde quitinetes até coberturas de cinco quartos e mil metros quadrados. É incerto quem vai visitar. Há quem diga que vai jantar com Phedra de Córdoba, por quem havia sido esnobada por anos. Amigos afirmam que ela cultiva um amante na praça. Fato é que ela sai de um prédio na Roosevelt na madrugada de sexta para sábado, entra na garagem e nunca mais será vista com vida.

Jacqueline Welch é encontrada quase 48 horas depois, quando um funcionário da limpeza do estacionamento vai varrer o chão ao redor do seu carro e percebe que alguém está atrás do volante. Na verdade, sobre o volante. Jacqueline está morta. Tomou quatro tiros e faleceu no Chevette, o primeiro carro que teve por mais de um ano.

Ninguém sabe quem mata nem quem manda matar Jacqueline. As especulações vão desde um cliente poderoso que ela chantageou no declínio do palácio até alguma travesti que tenha maltratado nas suas duas décadas de vida profissional. Uma das que ela esbofeteou, ou cortou o cabelo à força. A investigação da polícia tem duas páginas, e se resume a uma descrição da cena do crime, não há nenhum suspeito.

Mas, se a polícia não dá conta de narrar a história do assassinato de Jacqueline, as ruas criam a própria versão, baseada em testemunhas e costurada com palpites. Darbi Daniel conta ter visto naquele momento uma cena que não entende de imediato. Cinco travestis batiam palma ao redor do carro de Jacqueline Bláblábláblá. "Não vi o que tinha no carro, então achei que estivessem fazendo festa para ela. Como ia saber que ela estava morta lá dentro? Se soubesse, teria feito alguma coisa." A teoria vigente entre as pessoas próximas do caso é que houve uma rebelião de travestis contra a rainha, no momento em que ela estava mais débil.

O 1º de maio de 1994 é um dia estranho para todo um país. Kelly Cunha, que já havia se afastado de Jacqueline há anos, tem um mau pressentimento enquanto a amiga é morta numa garagem. "Eu vi uma trans matar a outra com tesoura, no meio da Amaral Gurgel. Fiquei tão perturbada que cheguei em casa, fui dormir e só acordei de tarde." Quando Kelly acorda, liga a televisão e vê que o *Domingão do Faustão* está diferente. O programa não tem bandas se apresentando e o balé de dançarinas está parado no fundo do palco. Fausto Silva está fazendo uma homenagem a Ayrton Senna, o maior piloto de Fórmula 1 que o Brasil já teve, e que acaba de morrer. Ela faz o sinal da cruz. E então o telefone toca. É Mona, a mão direita de Jacqueline por décadas, avisando que outra pessoa também morreu.

Kelly e Mona vão para o prédio do Instituto Médico Legal, ao lado da Faculdade de Medicina da Universidade de São Paulo.

Quando chegam, encontram uma confusão. Duas pessoas com o nome de batismo de Jacqueline que morreram no mesmo dia. "Um senhor que havia falecido de infarto, em casa, e outro que tinha morrido por tiros na praça Roosevelt", conta Kelly. Quando a atendente diz que a vítima, que ela insiste em chamar pelo nome masculino, estava de peruca e tinha seios, as duas se dão conta de que é verdade. Jacqueline Welch não chega a completar cinquenta anos.

Mona entra em desespero ao se dar conta de que aquele nome de fato é o de Jacqueline. Quer entrar, mas não permitem, porque a autópsia ainda não acabou. As duas ficam na sala de espera do IML, que tem uma TV ligada nas notícias da morte de Ayrton Senna. Enquanto o país inteiro se despedia de um herói, essas duas pessoas só pensavam em uma morte invisível.

Mona soluça. "Ela morreu sozinha. Viveu a vida inteira sozinha, mas não podia ter morrido sem alguém para pegar na mão dela." Kelly oferece sua mão pequena para Mona, cujos ombros sobem e descem no ritmo dos soluços. A mulher a segura firme, e elas ficam de mãos dadas, da mesma forma que Mona gostaria de ter ficado com Jacqueline na hora da sua morte. E, fora do Instituto Médico Legal de São Paulo, fez-se o silêncio. O silêncio em que Jacqueline Bláblábl á era fluente. O centro de São Paulo havia perdido uma de suas rainhas.

7. Choro
1995

A gringa, de pele branca e cabelo vermelho artificial, sobe devagar a escada da Prohibidu's cercada por pessoas estilosas, quase todas de preto como ela, como se fossem uma assembleia de sombras. A mulher desemboca na boate. Vê duas travestis dançando, com os seios de fora, no fundo da pista, enquanto outra faz um show no palco, observada por dezenas de pessoas. Um homem se masturba em pé, enquanto vê o show. A gringa sorri e diz: "These are my people". Ou, em português: "Essa é a minha galera." A americana é Nan Goldin, uma das fotógrafas mais premiadas do século XX. E a história de como ela foi parar no inferninho em dezembro de 1997 é a história de como a Prohibidu's passou de antro das marginalizadas à casa noturna de uma moda underground que surgia em São Paulo.

A transição é lenta e acontece a conta-gotas. Um dos primeiros indícios de que o inferninho está chegando a novos públicos é em janeiro de 1994. Pai Walter desce até o centro da cidade para conhecer a casa noturna que seus búzios aconselharam a não existir. Deixa o motorista esperando no carro, na porta da boate, e sobe a escada estreita de degraus tortos. Ao vê-lo, Andréa leva um susto, e vai até o seu guia espiritual para lhe dar um abraço: "Toma aqui, para o senhor tomar um drink". Andréa deixa no bolso da camisa de Pai Walter uma nota de quinhentos cruzados novos, a maior em circulação no país. "Mas vai tomar fora daqui." O babalorixá não entende. "Não quero que o senhor veja o que acontece aqui." E depois suaviza o discurso. "Por favor. Esse lugar não é para gente como você." Pai Walter vai embora. Mas volta semanas depois, com amigos da alta sociedade.

Em outra madrugada, dois anos antes, em 1992, um calhambeque MP Lafer vermelho para diante da boate. Desce dele uma drag queen loira de 120 quilos, olhos estrábicos e uma língua ferina pela qual é famosa. É Kaká di Polly, a herdeira de uma empresa têxtil que estudou nos melhores colégios de São Paulo e que não precisa trabalhar, com espetáculo nem com sexo, para manter o luxuoso estilo de vida. Em uma das passagens que sedimentou sua fama, na década de 1980, Kaká chega à boate Homo Sapiens de motorista. Desce do carro, vê que há uma poça d'água entre o meio-fio e a calçada, e não pensa duas vezes. Tira a estola de pele que leva ao pescoço, joga sobre a poça e pisa, para chegar com o sapato seco na boate. "Fiz isso com dor no coração, mas sem dar pinta, para parecer a coisa mais natural do mundo", diz Kaká. Ela é tão reconhecida na boate que, quando pisa no Homo Sapiens, o DJ para a música que estiver tocando e põe uma canção de Maysa, de preferência "Meu mundo caiu". Maysa é a cantora predileta de Kaká, que entra na pista dublando, enquanto um garçom traz uma garrafa de vodca gelada e uma taça, para ela se sentar na beirada do palco e começar a noite.

Mas, na madrugada de 1992 em que decide conhecer a Prohibidu's, Kaká se faz de modesta. Andréa a olha descer do carro com sua desconfiança de praxe. Kaká abre um sorriso e diz: "Trouxe um presente para você". Tira do bolso um anel de ouro e o passa para a mão de Andréa de Mayo, sem tirar o olho do rosto da dona da boate. Andréa sorri. E abre caminho para Kaká passar. Dali em diante, as portas da Prohibidu's estariam abertas para ela. "Entrei na boate e tinha um monte de travestis. E uns tipos perigosos, bem marginais. Era um lugar sem lei. E era uma delícia", lembra Kaká.

A Prohibidu's começa a ser frequentada por pessoas que não são travestis, nem homens que saem à procura delas. O lugar vira uma espécie de segredo bem guardado da noite paulistana. Um cálice sagrado que pode conter um vinho raro ou um veneno, dependendo de quem estiver descrevendo o inferninho.

Em uma noite de 1994, uma mulher baixa, de cabelo curto que pode ser vermelho, preto ou loiro, a depender da semana, para na entrada e olha para Andréa. A dona da boate a encara de volta, sem saber que é uma pessoa famosa. Erika Palomino ganha fama com a coluna Noite Ilustrada, lida por centenas de milhares de brasileiros todas as sextas-feiras. Na sua página semanal publicada pela *Folha de S.Paulo*, ela fala de moda e de vida noturna. Retrata o surgimento dos clubbers, uma geração de jovens cujo esporte é dançar em boates sobre plataformas de vinte centímetros e que, assim como as travestis, desafiam a divisão do conceito do que é masculino ou feminino. Em outras boates, como a Columbia e o Hell's Club, Erika ouve falar do *after hours* da Prohibidu's. E, numa noite, alguém sugere que eles emendem uma festa com uma visita à boate. "Era um lugar cultuado. As pessoas da noite iam para lá por milhões de motivos. Não era um lugar convidativo, tinha a escada, ninguém entrava lá por acaso", diz Erika.

A colunista já conhecia Andréa de Mayo de outras festas. Em meio a notas como "Alexandre Herchcovitch vai desfilar na semana de moda em Paris", publica um registro de uma festa por onde Andréa passou. A primeira vez que Andréa aparece em uma coluna social é em meio a outros famosos da noite. "Se faltou absurdo, nonsense e espontaneidade na festa da Carlton, os três elementos estiveram lá (o niilismo, o underground e o demi-monde também) na festa de Kaká di Polly, na Rainha Vitória, no largo do Arouche, anteontem. De Andréia di Maio [sic] a Rita Cadillac, de Cris Negão a Léo Áquila, de Silvetty Montilla a Natacha Dumont, mais Barbara Araújo (a linda prima de treze anos do stylist Walério Araújo) e Grace Lesada, todos fomos cumprimentar a baleia Kaká, a Divine brasileira", publicou Erika no maior jornal do país.

"Eu ouvia muitas histórias da Andréa. Uma pessoa muito poderosa, muito influente e muito temida." Erika vai vestida de respeito, e não de medo, quando vai conhecer a casa noturna. "Era um lugar intimidador. Não era um *after hours* comum, como outras boates, tipo o Hell's Club. Você tinha que chegar com frequentadores. Não era um turismo clubber, era um lugar fundamento, como se diz na noite." E, na entrada estreita da rua Amaral Gurgel, uma das pessoas mais poderosas da mídia brasileira faz uma reverência para uma das pessoas mais fortes da noite marginal. "Essa entrada era muito solene, com a Andréa de Mayo ali na porta, você tinha que chegar com uma reverência. E para mim foi uma honra poder conhecê-la."

Uma das festas que leva o mundo da moda à Prohibidu's é a comemoração de dez anos de carreira de Gabriella Bionda, cartomante e namorada de Lu Moreira, integrante da banda de rock As Mercenárias. É dezembro de 1997, Gabriella é amiga de Andréa e avisa que seus amigos, da moda, da música e do dinheiro, vão passar pela festa. "Fica tranquila, eu estou aqui cuidando de todo mundo. Ninguém encosta", promete Andréa. A aniversariante põe uma peruca loira, imitando Madonna, e monta uma decoração de festa infantil no palco. É nessa noite que Nan Goldin acaba na Prohibidu's, levada por amigos estrangeiros da aniversariante. E que fotografa Andréa de Mayo, uma imagem que nunca expôs. Uma foto de Nan Goldin chega a custar 100 mil dólares.

No fim dos anos 1990, a Prohibidu's ainda impõe medo, mas pessoas de bairros ricos e distantes se deslocam até o centro para conhecer o lugar, que vira uma espécie de cartão-postal da vida underground do centro. A mistificação estética chega a um ponto em que a revista de moda mais famosa do mundo pede a Andréa para fotografar um editorial dentro e fora da boate, em 1998. A equipe da *Vogue* está fotografando na porta da Prohibidu's quando um estampido rasga o ar. O barulho, seco e metálico, é reconhecido por todos: um tiro. O fotógrafo corre, a modelo se agacha sob a marquise, o maquiador e as produtoras buscam abrigo em uma loja de conveniência a meio quarteirão dali. Andréa, pelo contrário, se expande. Vai para o meio da rua e grita: "Que porra é esse que está acontecendo?". Vê um ladrão que conhece, e que acabou de dar um tiro enquanto discute com outro homem. Andréa constata que a bala não atingiu ninguém, levanta a mão e berra: "Ô, Oswaldo, mata depois! Não vê que estão fazendo foto aqui", e se vira gargalhando, para encontrar meia dúzia de profissionais da revista de moda mais fina do Brasil tremendo. Andréa tenta acalmá-los com a voz mais tranquila de que é capaz: "Ele não ia matar ninguém, só estava dando um sustinho".

A QUEDA DA RAINHA

Numa tarde de 1993, o jornalista Celso Curi está na sala de espera do apartamento de Pai Walter. Há duas cadeiras coladas à parede. A bunda de Andréa ocupa uma e meia. Mas, quando o vê, ela dá um pulinho para o lado, e libera espaço. Ele sabe quem ela é. Ela sabe quem ele é. Mas uma sala de espera de pai de santo é como a sala de espera de um cardiologista: não convém falar do assunto que leva até lá.

Celso tenta ser agradável, e faz uma pergunta genérica: "E aí, como está você?". Andréa olha séria e responde: "Péssima. Acabei de matar o meu namorado". O silêncio reina na sala até que Pai Walter chame Andréa a entrar. E Celso fica sem saber se o diálogo foi uma piada sem graça ou uma confissão de homicídio.

Uma cena parecida acontece no meio dos anos 1990 com um casal de namorados que desce a rua Augusta. Ricardo Correa e Vânia Queiroz são dois jovens cabeleireiros que trabalham no salão Casarão, namoram e se maquiam para irem juntos a boates como a Nostromondo. Em uma noite de dia de semana, eles vão jantar no Piolin, uma cantina também na Augusta. Ao sair, estão na calçada quando para o carro esportivo branco de Andréa de Mayo. Ela abre a janela, cumprimenta Ricardo, que conhece da noite, e comenta, animada: "Bichas, que dia! Acabei de apagar um bandido. Três tiros". Vânia cutuca Ricardo no braço, os dois sorriem amarelo, meneiam a cabeça e seguem caminho. "Eu fiquei bem passada. Assustada mesmo, aquela mulher enorme falando que matava gente", diz Vânia.

É impossível afirmar que Andréa de fato tenha cometido os crimes que propagandeava. Nenhum deles foi registrado pela polícia, tampouco investigado. Não há sequer um processo contra ela por homicídio. A impressão é de que, em dado momento, ela passou a interpretar a personagem que lhe deu fama no decorrer de duas décadas.

Mas, além das dezenas de relatos de pessoas que viram Andréa bater, achincalhar e até ferir pessoas, há um acontecimento documentado que ilustra a violência real para além da personagem. Em junho de 1993, Andréa quase morre em uma briga doméstica. Só Andréa e Devair estão na mansão da Vila Mariana e ninguém ouve os pipocos que ecoam depois de horas de discussão. No meio da madrugada, Andréa é levada de ambulância para o Hospital das Clínicas. Ela leva seis tiros, que ferem mão, braços e perna direita. Passa por treze cirurgias e sobrevive por pouco, carregando sequelas daquela noite misteriosa. Andréa jamais contaria o que aconteceu dentro de casa, mas depois que sai do hospital, Devair não está mais por perto.

Quando reabre a Prohibidu's, um mês depois, avisa que está solteira de novo. "Onde viado passa, não nasce grama", diz para Kaká di Polly. Andréa volta para a noite avariada. Sua perna direita ganha um novo acessório que não vai poder tirar por anos: um fixador ósseo externo, uma espécie de andaime circular que envolve uma perna e que a faz se mover com dificuldade. Em vez de vestidos de *shantung* feitos à mão pelas melhores costureiras do centro, passa a usar camisetões sem parte de baixo, porque nenhuma calça passa pela gaiola de metal que ela agora usa acoplada à perna. Vendo a amiga desmantelada, Kaká pede que sua mãe, que tem uma malharia, faça algumas calças assimétricas, projetadas sob medida: uma das pernas é grossa o suficiente para esconder a gaiola de metal, e a outra tem a circunferência da perna tamanho 42 de Andréa.

Depois do acidente, Andréa muda. "Ela ganhou um olhar tristonho, quase amargo", relata a jornalista Erika Palomino. Há outras mudanças, mais práticas, em sua vida. Por causa da perna, ela não consegue mais entrar no carro esportivo e passa a rodar pelo centro em um Monza Avallone, mais conhecido como Monza Limusine. O carro é o oposto do esportivo Miura que dirigia até anos antes. Se o Miura é leve, o Monza é uma parede de aço. O anterior era branco, esse é preto com os vidros fumê. A limusine de Andréa circula pesada pelas ruas como um carro fúnebre, e talvez seja esse o sentimento que ela queira passar com a muralha de metal sobre rodas. O rabecão da rainha da noite tem a sua assinatura. Em vez dos dezessete dígitos que misturam letras e números para formar o chassi no canto dos vidros, na gravação do carro está escrito ANDRÉA DE MAYO, em letras maiúsculas. "É pra vagabundo saber que é meu assim que chegar perto, e nem pensar em fazer besteira", diz ela para qualquer um que pergunte o porquê da personalização. Andréa passa a ficar cada vez mais sozinha. Seu pequinês Al Capone é o único ser vivo permitido no banco de trás.

Aos quarenta e poucos anos de idade, Andréa está desiludida. "Ela desistiu. Parou de se montar, deixava a barba crescer, nunca mais botou um pé no palco", diz Kaká di Polly. Sua transição não é um corte seco como a de Jacqueline Welch. Não há uma festa para comemorar a morte, como a oferecida anos antes. A nova identidade de Andréa de Mayo não é uma volta ao que ela já foi, e sim uma segunda passagem. Ela não volta a assumir uma identidade masculina, simplesmente passa a ser algo fora da divisão entre homem e mulher. Andréa é o que muitos anos depois se chamaria de pessoa não binária. Ela é homem e é mulher ao mesmo tempo, como definiu para a amiga Claudia Wonder.

Mas tal desleixo não contamina o trabalho. Os meados dos anos 1990 são um dos períodos de maior atividade de Andréa como rainha da noite. Além de administrar a Prohibidu's e as suas oito repúblicas de prostitutas, ela ronda o bairro dando ordens e defendendo o sustento das colegas. "Quero show de travesti aqui na quarta-feira", exige dos administradores da Danger, uma boate voltada para o público gay que só oferece shows de drags no fim de semana. E eles obedecem de pronto.

Em outro caso, ela descobre que uma boate está fazendo shows de travestis às seis da manhã, horário que considera dela e de mais ninguém. Andréa aparece no começo da noite na casa noturna, entra e avisa os donos: "Vocês vão passar a fechar às cinco da manhã. E amanhã não vão nem abrir, inclusive", ordena.

No dia seguinte, a limusine passa à meia-noite na porta da boate, que respeita a ordem e não abre. "Pode ter certeza de que ela ia ter metido chumbo se tivessem aberto. Quando a pessoa era do bem, articulada e do show, a Andréa respeitava muito. Agora, se era alguém de fora que caía de paraquedas... O babado era certo", conta Kaká di Polly.

Em outro encontro, ela para na porta de uma boate que vai abrir na rua Vitória, pede para falar com o dono e pergunta: "Você vai cobrar quanto de travesti?". O dono fala o valor, mais do que o dobro da entrada para pessoas cisgênero. Andréa ordena que não faça isso. "Vai ser assim, onde tem travesti tem problema", diz o homem. No dia seguinte, Rosana Starr está na rua, saindo do salão de beleza, quando vê a limusine preta parar em frente à boate. Desce Andréa, com o conjunto esportivo cor-de-rosa que a mãe de Kaká di Polly costurou para ela. Ela titubeia. Se escora na lataria da limusine e tira a arma da bolsa. Descarrega um pente inteiro na fachada da casa. "Era um aviso. Só um aviso", diz Rosana Starr. E Andréa não tinha medo de passar seus recados. No fim de algumas tardes, fazia uma ronda nas boates do centro distribuindo ordens, exigindo shows para que as travestis pudessem ter uma fonte de renda e acabando à força com a discriminação que impedia pessoas T de entrarem em festas. "Todo mundo faz a figura da Andréa de Mayo muito forte. Mas ela era sensível. E muita coisa deu errado nela. O corpo, o silicone, o nariz que diminuiu muito. Aí ela tomou os tiros. E houve uma desilusão com a figura feminina", diz Divina Nubia.

Talvez porque a humanidade de Andréa fosse um assunto de foro íntimo, ela não a compartilha com ninguém do centro. Quando está na Prohibidu's, ela é a empresária, a melhor negociante do pedaço, para onde correm dezenas de trombadinhas e de assaltantes quando procuram transformar o fruto de seus roubos em dinheiro. "Você estava na rua. Você era assaltado. Levavam seu Rolex de ouro. Eles iam bater na porta da Andréa e oferecer o relógio para ela", conta Kaká. Nesse escambo, um relógio de 5 mil dólares tem seu valor instantaneamente reduzido por Andréa a duzentos reais, ou dois salários mínimos na época. Um dinheiro que por sua vez é quase sempre trocado por droga na mesma noite. "A gente ficava na porta conversando com a Andréa o tempo todo. Vira e mexe aparecia alguém com cordão de ouro, outro com relógio. E a Andréa comprava. Ali na frente, no ato", diz Kaká. A receptação do fruto de roubos e de furtos é feita sem nenhum disfarce. Andréa compra a joia e a joga na gaveta do móvel em frente do qual se senta na entrada da Prohibidu's. "Não é lenda, eu vi. Era uma gaveta lotada de ouro. Era relógio, era corrente, era anel e era pulseira", diz Kaká. Depois, o tesouro da noite é levado para a casa de Andréa, no banco de trás da limusine.

Quando Kaká vê Andréa interceptando joias e relógios roubados, a dona da boate lhe diz: "É para a velhice, bicha, eu não vou ficar aqui para sempre. Conforme for precisando, eu vou vendendo". Andréa de Mayo vai acumulando uma fortuna. Compra uma chácara em São Roque, a meia hora de carro de São Paulo, onde se refugia nas noites de segunda e terça, as mais fracas da boate, e, portanto, o seu fim de semana. Mas seu maior tesouro se esconde na casa da Vila Mariana

No meio da década de 1990, a morada de Andréa de Mayo também vive uma transição. De um sobrado simples, passa a uma casa nababesca e confusa. Andréa contrata pedreiros para fazer novos cômodos, que se integram à planta original como enxertos. Manda trocar a escada de madeira por escadarias de mármore com corrimão dourado, troca os tacos do chão por porcelanato. Essa reforma é só um aperitivo para o que está por vir: Andréa compra um terreno a dois quarteirões da casa, onde levantará a mansão dos sonhos. Supervisionava da janela da casa antiga as obras da nova, projetada para ter cinco quartos, três banheiras, piscina e um jardim grande o suficiente para todos os seus cachorros.

Aos poucos, a rotina volta a imperar e Andréa torna a frequentar as festas da família de Angela Davis. Nos primeiros anos, está sozinha e não é a mesma de anos antes. Além de só aparecer sentada, com uma bengala no colo, para com as piadas. A partir de 1995, Devair volta a aparecer. Em uma filmagem, ela está com a perna sobre uma banqueta. Veste uma calça que tem uma das pernas inteira e a outra cortada na altura de um short, deixando a perna ruim exposta. Há uma gaiola de metal preto ao redor da canela, como se fosse um andaime. Devair olha para ela e diz: "É o meu amorzinho". Andréa não responde.

Moram na sua casa o ex-marido, que volta para a sua vida um ano depois do incidente dos tiros não como namorado, mas como conselheiro, um dos poucos amigos que ela aceita; e Jaqueline e Leda, duas outras travestis que são as empregadas domésticas de Andréa.

Até que, em 1995, a casa de Andréa ganha um novo morador. Um jovem que perdeu a mãe aos dezesseis anos, e perambula pelos bairros do centro. "Perdi o chão, não sabia o que fazer. Estava me descobrindo como gay, então caí na noite", diz Rodrigo Zarza. Na praça Roosevelt, bebendo em bares como o Corsário's e o Xereta's, Rodrigo conhece Jaqueline, a empregada de Andréa, e conta a ela sua história.

Ela diz que mora com uma dona de boate muito rica, que pode ajudá-lo. Ajudá-lo, inclusive, no desejo de se travestir, que ele revela à conhecida logo no primeiro encontro. Eles vão à porta da Prohibidu's e o jovem é apresentado à patroa: "Ele não tem onde morar", fala Jaqueline. Andréa pensa por alguns segundos e responde: "Tá. Você pode ir lá para casa, mas seu pai precisa deixar. Você vai trabalhar com limpeza. E eu te pago, viu?", propõe.

O pai de Rodrigo reluta, mas no fim de algumas semanas permite que ele vá morar com a desconhecida.

PERSEGUIÇÃO NO CENTRO

Rodrigo sai da estação Paraíso do metrô, vira à direita e entra numa ladeira íngreme. Antes de terminar de descer, para diante de um portão de ferro azul. Vê na garagem a limusine de Andréa, mais um Peugeot esporte vermelho. Toca a campainha. Quem o recebe é Jaqueline, que o conduz até o quarto no segundo andar, onde Andréa está sentada vendo TV, com a perna sobre uma poltrona. Ao ver Rodrigo, lhe dá as boas-vindas de modo peculiar: "Você veio por sua conta e risco, se for preso eu não te conheço, você só mora aqui". Rodrigo concorda. E assim é feita sua mudança.

Jaqueline leva Rodrigo para conhecer a casa. No andar de baixo ficam três rottweilers e quatro dobermanns. São Sherlock, Vilão, Medusa, Apolo e um com nome alemão que ele e Jaqueline não conseguem pronunciar, então chamam de Hitler. Al Capone, o pequinês idoso, é o único que tem permissão para ficar no segundo andar com a mãe. Ali estão o quarto dela, o banheiro de uso exclusivo e um quarto para os funcionários no fundo. "Ela não descia para nada, só para ir para a boate ou para o médico. De resto, a gente levava tudo até o quarto", conta Rodrigo.

A casa, na maior parte do tempo, é fantasma. "Ninguém nunca usou a sala de visitas, a cozinha estava sempre às moscas, o único barulho era o dos cachorros latindo. O tempo todo latindo", diz Rodrigo. Além das domésticas e de Devair, há somente as eventuais visitas de homens que se trancam no quarto com Andréa. "Vira e mexe ia um garoto ou outro, para ela fazer alguma coisa", relata Rodrigo.

Mas os encontros sexuais são cada vez mais raros. Porque Andréa passa a maior parte do tempo com dor. "Ela sentia muitas dores. Nos chamava no meio da madrugada para passar uma pomada nos pinos da gaiola e pedia para lavar com Lysoform", diz Rodrigo.

Certo dia, ao subir para ajudá-la no banho, Rodrigo toma um susto que não consegue disfarçar. Além do fixador externo que Andréa passou a usar depois dos tiros, há outra questão mais grave com seu corpo. O silicone líquido que aplicou aos litros quando era jovem havia sido rejeitado pelo organismo. Camadas de proteínas envolveram esse corpo estranho, e transformaram o silicone em tecidos duros, parecidos com músculos tensionados, em formatos que não eram os desejados pela bombadeira. "A bunda dela era disforme. Enorme, tinha calombos e lombadas", diz Rodrigo, que ficou em choque ao ver Andréa nua pela primeira vez. Além das formas estranhas que brotaram sob sua pele com o tempo, há um problema ainda maior: manchas roxas e pretas espalhadas pelas coxas. Algumas delas estão abertas, exalando pus e mau cheiro. O óleo mineral e o silicone líquido que injetou por anos causaram uma grave inflamação, tão forte que bloqueou vasos sanguíneos, e partes das suas pernas pararam de ser irrigadas, levando à necrose dos tecidos. Andréa está morrendo aos poucos, e sabe disso. Mas não conta para ninguém, a não ser para o empregado que a ajuda a tomar banho, primeiro de água e depois de desinfetante hospitalar.

Fora do banheiro, Andréa faz o papel de cafetina rica e forte. Usa três anéis por dedo. Fala sobre suas riquezas. "A gente ouvia ela falar muito sobre joias, mas nunca viu nada", diz Rodrigo. Em seu quarto, que ele precisa limpar sob a supervisão da própria, há um armário trancado, cuja chave jamais é vista. "Nunca abri, nem limpei, e não faço ideia do que tinha dentro."

Quando completa um mês de trabalho, Rodrigo não recebe o salário. "Todas as meninas ajudavam na limpeza, mas sempre tinha outra coisa para fazer. Nunca terminava, ela sempre tinha alguma outra ordem para dar." Quase 25 anos depois de ter morado na casa de Andréa, Rodrigo suspeita que não estava ali para fazer faxina. "Ela viu que eu era uma ninfeta e que podia fazer tudo comigo: hormônio, silicone. Mas na época eu não queria fazer cirurgia, bombar, me virar", diz. O que ele queria, sim, era transicionar. Com o passar das semanas, Rodrigo Zarza passa a se apresentar como Luciana. Andréa o ajuda com vestidos e maquiagens. Ou ele interpreta como ajuda o que na verdade é só um negócio, porque depois ela volta para cobrar por tudo o que fez. "Ela começou a colocar dívidas exorbitantes sobre mim. Uma semana era cinquenta reais, na seguinte era o triplo", conta Rodrigo.

Além de estar trabalhando de graça, em um regime análogo à escravidão, Rodrigo começa a ser cobrado por dívidas que não sabia ter. "Um dia, ela chegou em casa e me bateu. Me deu um tapa na cara e disse que ia me matar se eu fugisse e não pagasse. Eu abri o portão e saí correndo." Andréa manda atrás dele um garoto de programa chamado Eduardo, que, quando o alcança, o derruba na rua. Mas, como no conto da Branca de Neve, o caçador designado não tem coragem de levar Rodrigo de volta. O michê solta os seus braços e diz: "Vai embora e não volta nunca mais aqui. E esquece o centro da cidade".

Dias depois da fuga, Andréa procura o pai de Rodrigo e diz que seu filho tinha roubado anéis de ouro do seu quarto. O pai responde: "Se ele roubou mesmo, pode chamar uma viatura. Tá aqui o meu endereço". Andréa nunca mais entra em contato com ele, mas passa a perseguir Rodrigo pela cidade. Acontece de ele chegar a um lugar e, minutos depois, ver a limusine se aproximando, e precisar correr.

"Ela tinha ódio de mim. Ódio. Se soubesse que eu estava em qualquer lugar do centro, baixava lá com o carro. Eu não podia mais pisar ali", conta Rodrigo. E ele passa anos sem passar pela região. Até que sua identidade muda de novo, e ele volta a poder andar tranquilo, porque ninguém o reconhece mais. Aos trinta anos, decide voltar a se apresentar como Rodrigo, e adotar o gênero masculino. "A noite dura pouco e as portas de emprego não estavam se abrindo", comenta. Então, como Jacqueline Welch, ele abandona a identidade feminina. Troca o nome Luciana, que fica para trás junto com a história de quando foi escravizado por uma cafetina.

MÍDIA E MILITÂNCIA

Se a vida pessoal de Andréa é de uma riqueza tacanha, o público não sabe disso. Ela continua por toda a década de 1990 sendo uma das vozes mais importantes do movimento LGBT no país. Mas, em alguns momentos, sua voz deixa de ser um grito esperançoso, e passa a ser um urro ressentido com o mundo.

Andréa de Mayo é a primeira travesti paulistana a se tornar colunista da imprensa. Em 1996, é convidada para escrever a de Olho em Você, uma coluna na revista *Bonekas*, que só tem três edições. O texto de estreia é um mapa claro da alma de Andréa na época. Seu cansaço com o movimento LGBT de São Paulo e seu reconhecimento de que uma sigla com tantas letras podia nivelar opressões que são diferentes.

A coluna de Andréa começa com um relato pessoal. "Na TV, jornais e outros meios de comunicação nos anos 1970, vi toda a repressão possível e isso não à margem da lei. Nunca me prostituí, nunca roubei, nunca usei drogas e nem fiz a cabeça dos outros de escada para subir na vida, e provo tudo isso!!!!!" A frase termina com cinco pontos de exclamação, e não é inteiramente verdadeira. Andréa se prostituiu, sim, durante sua juventude.

Parou quando o trabalho de cafetina e empresária passou a dar dinheiro, no fim dos anos 1970. Depois de fazer essa apresentação edulcorada, ela passa a distribuir notas zero para pessoas, instituições e hábitos que considera deploráveis. Escreve: "A minha nota zero vai para os organizadores dessas passeatas gays em protesto à discriminação e violência contra nós. Mano, vocês acham que, com mãos dadas, bandeirinhas coloridas e trejeitos gozados e abusados vamos conseguir algo nessa luta desigual?! Porque, quando eu era só, lutando pelos nossos direitos, fui enquadrada como uma travesti marginal?".

A percepção de Andréa é afiada. Décadas antes de discussões sobre a gradação do preconceito dentro da comunidade LGBTQIA+, ela já explicita que travestis e pessoas trans sofrem ainda mais discriminação do que homens e mulheres cisgêneros, por mais que eles sejam gays e elas lésbicas. Ela usa o texto para pôr o dedo nessa ferida: "Até onde chega a demagogia, como ser considerada por vocês, gays, uma travesti marginal". E então faz um apelo: "Não quero ser visto como mais um travesti ou um gay cinquentão. Quero ter direito de expressão e lutar, de igual para igual, com a sociedade pelos nossos direitos".

O texto traduz a acidez que a fez famosa na noite. Depois de militar por meia página, ela desce o verbo em tipos que vê na noite. "A última nota zero do mês é para os gays pão com ovo, que trabalham o mês todo para juntar centavo por centavo, para comprar roupa de marca em barraquinha de camelô e dar pinta em casas noturnas, supostamente chiques. É a coisa mais gozada ver esse tipo de comportamento, é uma coreografia de caras e bocas, nariz empinado e copo com água e gelo. Mãos nas mãos a noite inteira, e no final da noite todos esperando o ônibus ou o metrô. Olhando entre si com olhares envergonhados de cumplicidade. E tenho dito."

Depois de uma página quase inteira de zeros, Andréa distribui algumas notas cinco para o que chama de "os grandes nomes que ainda estão na mídia, ou não". Ela dá a nota mediana para Pai Walter de Logunedé, Kaká di Polly, Darbi Daniel, Xepa Riso, Miss Biá. E a repete para famosos como Elis Regina e Chico Buarque. Em sua coluna, Andréa de Mayo não dá dez para ninguém.

A desilusão com as gerações mais jovens da militância não a impediu de lutar pelo direito dos seus, às vezes inclusive em rede nacional de televisão. Em 1998, ela trava um embate com um político que propaga o ódio a pessoas queer, e a discussão é transmitida para todo o Brasil, pelo *Programa Livre*. De um lado, no palco, está Andréa de Mayo, que é apresentada apenas como ativista, por mais que suas competências também incluam cafetina, artista e empresária. Do outro lado está um homem gordo, de barba e terno, cuja voz é famosa por gritar frases como, "Esses pederastas devem ser isolados, alijados... Temos de isolar esses canalhas", no rádio — o apresentador Afanasio Jazadji. Suas opiniões conservadoras, como a defesa da pena de morte, fazem dele uma estrela. Seus bordões LGBTfóbicos ressoam na sociedade. Na década de 1980, chega a ter 1 milhão de ouvintes por minuto na rádio Globo. Em 1986, é eleito deputado estadual com meio milhão de votos, um fenômeno que vai se repetir por cinco eleições seguidas.

Quando chega ao SBT em uma tarde de maio de 1998, Jazadji toma um susto. Há travestis, mulheres trans, lésbicas e casais de homens andando de mãos dadas pelos corredores dos estúdios. "Eu fui convidado para o debate no *Programa Livre* com os homossexuais, mas disseram que seria eu e mais dois ou três no palco. Ninguém me disse que haveria uma plateia com mais de cem, mais de duzentos, quase trezentos homossexuais", lembra Jazadji. O político conservador sua dentro do terno, por mais que o camarim tenha ar-condicionado. E entra para fazer o programa, mesmo alegando que não sabia da dinâmica daquela tarde. "Mas isso não me faria fugir da raia", diz ele.

Aos quinze minutos de programa, uma figura alta, com o nariz carcomido por plásticas, uma camisa vermelha listrada, calça jeans e o cabelo crespo preso levanta a mão no meio da plateia. É Andréa, que recebe o microfone da mão do apresentador Serginho Groisman. Com sua voz de veludo, ela pergunta para o deputado conservador: "Quando o senhor saiu às ruas para pedir, angariar os seus votos, ao indivíduo que era homossexual o senhor disse: 'Não vote em mim?'.". O homem tenta varar a onda de palmas com sua voz, para responder: "Não, não, absolutamente. Absolutamente. Não falei isso, mas não queria os votos dos homossexuais também".

O programa mostraria ainda Jazadji dizendo "vocês são uma desonra para suas mães", para um casal de homens de mãos dadas na plateia. Mas o ponto alto é o conflito entre um deputado e uma dona de boate.

Andréa pode ter se fechado para o mundo, mas nunca vira as costas para a imprensa. Qualquer um que pede uma entrevista é recebido, por mais que sejam alunos de faculdade. Em novembro de 1995, ela recebe os alunos da PUC responsáveis pelo jornal *Grito*: "Quem é feliz deitando com cinco homens por noite, apanhando da polícia e de boy, sendo rejeitada pela sociedade?", ela diz para Lino Bocchini, então estudante de jornalismo.

"Ela ficou de olhos marejados ao mostrar fotos antigas, durante a entrevista. Muitos amigos tinham morrido, assassinados ou de aids", diz Bocchini. Andréa conta para o estudante que tem uma fita com a filmagem da primeira noite da Prohibidu's. Mas que não tem coragem de revisitar o passado. "Nem passo mais o vídeo de inauguração da casa, pois a cada vez tem uma a mais que a doença levou", diz.

A matéria traz um retrato de Andréa, que se deixou fotografar desmontada, com o cabelo preso e um moletom do Mickey, e de Juliana, que havia sido eleita a Miss Prohibidu's 1995. Principalmente, dá o ponto de vista da travesti mais poderosa de São Paulo sobre o que leva o grupo a estar na marginalidade. "O Brasil não tem emprego nem para pai de família, quanto mais para travesti. Falta tudo, mas tem delegacia de costumes para as meninas apanharem e serem enquadradas por vadiagem. Isso é uma palhaçada!"

Andréa entra em um circuito cult de universitários que veem valor em sua figura, e se aproximam dela para retratar sua vida, seja em reportagens ou na ficção, como um curta-metragem feito por alunos de cinema da Universidade de São Paulo. *Prohibidu's*, o filme, abre com uma tomada do toldo azul, sujo, da boate, com seu nome escrito em branco. A câmera se move para a entrada. Andréa, de tailleur preto, está sentada na portaria, coberta por um tecido de lamê prateado. A protagonista, uma travesti chamada Gigi, chega e Andréa a recebe com uma bronca. "Que cara feia é essa, menina? Tá com fome? Boneca tem que estar preparada para ser abandonada. Olha para a frente, olha para o futuro."

Enquanto isso, ao lado delas, um homem pequeno, de cabelo branco e camisa enfiada dentro da calça, repete "Eu sou uma bicha velha, eu sou uma bicha velha", com uma voz embriagada que se confirma pela garrafa de cerveja de 600 ml que leva à mão.

A protagonista entra no camarim. Em cima da bancada, está a foto de um militar. Enquanto se monta, olha para a foto, e tem um diálogo imaginário com o homem da foto. Quando já está maquiada e de vestido, a travesti pega uma bolsa, tira dela um revólver e passa no próprio rosto. Então, a câmera foca numa parede, e há o estampido de um tiro.

Fafá de Belém entra no camarim, com um vestido metalizado prateado e diz para a protagonista: "Vamos, vamos, vamos, bicha. A casa está cheia", e solta uma gargalhada típica. A travesti vai para a pista de dança da Prohibidu's, onde dança solta, enquanto Fafá de Belém canta "Um homem que amei", versão de "Someone That I Used to Love".

Você não viu
Não quis saber
Não se importou
Nem imaginou

O ADEUS DE ANDRÉA DE MAYO

Andréa, eternizada na arte e na história, está prestes a deixar de existir. Seu plano, ela confidencia às amigas mais próximas, é sumir do centro. Fechar a boate, passar a gerência das repúblicas de prostitutas para alguém competente e se aposentar, ir viver na chácara com os cachorros. Mas, antes de tudo, precisa corrigir um erro do passado e tirar o silicone dos quadris. Brinca com a amiga Xepa Riso: "Cansei de ser garagem, e ter um fusca de cada lado da bunda". Ela marca a cirurgia sem contar para quase ninguém. As únicas que sabem que vai "fatiar o presunto", como ela mesma diz, são Xepa e Kaká di Polly.

Kaká aproveita que Andréa vai tirar a semana de folga e faz um convite que, num primeiro momento, ela recusa: quer que Andréa seja a convidada especial de uma festa que apresenta há poucas semanas no Rainha Vitória, um bar no largo do Arouche.

Uma festa que Kaká luta muito para conquistar, como sabe Andréa. "Não queriam me dar noite nenhuma. Só a meia-noite de domingo, que era um horário caído, mortinho. Eu disse que tudo bem, ia encher aquele lugar a qualquer hora." Nasce assim a festa Frente a Frente com Kaká à Meia-noite e Meia. Kaká transforma a boate em sua sala de estar. Leva um sofá para o palco, que nas outras noites recebe dançarinos nus, e chama as amigas para bater papo. Na madrugada do dia 15 de maio de 2000, a convidada é uma aniversariante. Andréa de Mayo havia completado cinquenta anos dias antes de pisar no palco do Rainha Vitória, com um vestido preto, o rosto maquiado e o cabelo arrumado como nos seus desfiles de miss.

As duas conversam por meia hora, como se estivessem num talk show.

"Andréa, minha amiga. Como está a vida para nós, as antigas?", pergunta Kaká.

"Tá babado. Mais babado do que ontem e menos do que amanhã", ri Andréa.

As duas conversam sobre o que para elas foram os tempos áureos, as décadas de 1980 e a recém-finada década de 1990. Relembram as antigas, as travestis e transformistas em quem se inspiraram, e que, em suas memórias, são mais talentosas do que as de hoje em dia. Riem e brincam por meia hora. Depois da entrevista, Andréa agradece aos amigos, fica em pé no palco e canta "Mudanças", uma canção que rodou o Brasil na voz de Vanusa no fim da década de 1970. Uma música que conversa com a vida de Andréa de Mayo. Ela se escora no pedestal do microfone e abre a boca, de onde escorre uma voz aveludada com uma gota de lágrima no timbre:

Hoje eu vou mudar
Vasculhar minhas gavetas
Jogar fora sentimentos
E ressentimentos tolos
Fazer limpeza no armário
Retirar traças e teias
E angústias da minha mente
Parar de sofrer

Por coisas tão pequeninas
Deixar de ser menina
Pra ser mulher

Quando a música está chegando ao fim, Andréa repete as duas últimas frases da letra: "Deixar de ser menina pra ser mulher". E recebe as palmas e os gritos de uma casa noturna meio cheia e, portanto, meio vazia. Quando termina, Kaká sobe ao palco com um buquê de rosas vermelhas. Andréa pega as flores como se fossem o bebê que nunca teve, e agradece: "Estou tão feliz. Muito obrigada. Vocês são minhas amigas". Sem nenhum aviso, Andréa faz ali uma espécie de despedida da noite.

Depois que as duas descem do palco, há um bolo de aniversário esperando por Andréa em uma das mesas. Ela corta e distribui pedaços, mas dá só uma garfada cenográfica no próprio prato. Andréa já deveria estar de jejum, porque vai fazer uma cirurgia no dia seguinte. "Ela estava linda. Tão linda. Um vestidão, um cabelão, um bocão. A Andréa estava tão linda na última vez que a gente se viu", diz Kaká.

No dia seguinte, Andréa desperta antes do sol, deixa com as empregadas a casa e Al Capone, o pequinês idoso de dezessete anos, e segue na sua limusine para Moema. O bairro nobre é distante do centro, mas também tem uma história com as travestis. Apesar de ser conhecido por abrigar famílias ricas, Moema tem um dos principais pontos de prostituição de São Paulo, um trecho da avenida Indianópolis. Por décadas, associações de moradores tentaram acabar com o mercado de sexo. Nos anos 1980, chegaram a tirar fotos das placas dos carros que contratavam os préstimos de travestis, e ameaçar publicá-las no jornal. Foi em vão. A prostituição venceu.

Mas Andréa passa batida pela avenida Indianópolis. Desce em uma casa na rua Maria Noschese, entra e menos de duas horas depois já está anestesiada na mesa do dr. Puga Rebelo, um homem diminuto de cabelo branco e bigode, que abre suas nádegas e coxas e retira de lá o tecido que está fazendo seu corpo necrosar. A operação é um sucesso. Andréa pede que liguem da clínica para sua casa, avisando que deu tudo certo, e pedindo notícias de Al Capone. Toma sopa e fica de repouso para se recuperar. Até que, no meio da madrugada, lhe falta ar. Andréa tenta respirar, mas o ar não vem. Ela se debate por meia hora, até que não se debate mais. Uma enfermeira chega ao quarto, mas em questão de minutos já é tarde. Andréa morre no mesmo mês em que nasceu, maio, na manhã do dia 16, em uma clínica médica.

A morte de Andréa, ao contrário da de Jacqueline, vira imediatamente notícia de jornal. O *Notícias Populares*, tabloide mais vendido do país, publica no dia da morte um texto de meia página: "Um dos travestis mais famosos do país, Andréa de Maio, morreu no início da manhã desta terça-feira (16), numa clínica de cirurgia plástica, em Moema (zona Sul de São Paulo). A morte do travesti, reconhecido por estar trabalhando com os homossexuais há mais de 25 anos, aconteceu 24 horas depois de ele ter passado por uma operação para a retirada de silicone nas nádegas e nas coxas".

O texto sofre de uma confusão de gênero. Quando chama Andréa pelo nome, a trata no feminino. Ao se referir a ela como travesti, adota o gênero masculino corrente na imprensa brasileira até a virada dos anos 2000, quando o movimento de pessoas T consegue que elas sejam chamadas pelo gênero com que se apresentam. Mas, apesar da esquizofrenia de pronomes, a notícia dá conta das informações da morte. Narra que Andréa foi internada às sete e meia da manhã da segunda-feira. Foi operada uma hora depois, segundo Ilda Albuquerque, enfermeira-chefe da clínica. A operação, dr. Puga afirma ao jornal, foi um sucesso. Andréa começou a se sentir mal na manhã de terça-feira, quase 24 horas depois da cirurgia, e o médico afirma que a provável causa da morte tenha sido um coágulo que se formou perto de alguma parte operada do corpo, e que, solto na corrente sanguínea, obstruiu alguma das artérias que leva o sangue oxigenado ao pulmão. Essa intercorrência, comum após cirurgias, se chama embolia. Sobreviventes de tais eventos a definem como a sensação de uma mão sufocando por dentro. A clínica ainda afirma para a imprensa que Andréa havia assinado um termo de compromisso em que estava ciente dos riscos que corria ao ser operada para retirar silicone. O *Notícias Populares* registra: "O médico disse que sentiu muito a morte de Andréa, pois os dois eram amigos há mais de dez anos e o travesti sempre costumava levar outros homossexuais para serem operados por ele".

O que o dr. Puga não diz para o jornal é que a morte de Andréa não é uma fatalidade isolada ou única. Ao menos outras duas pacientes morreram na clínica nos anos anteriores. Walter Teixeira teve o intestino perfurado em 1986, durante uma lipoaspiração, e não resistiu. A segunda, cujo nome está em sigilo na Justiça, foi em decorrência de uma operação feita por Puga para aplicar silicone nos seios. Esses processos por erro médico passam quase uma década em trâmite. A sentença é proferida em 2003, e o dr. Puga é considerado culpado, e tem de prestar serviços comunitários.

Dr. Puga, registrado no Conselho Regional de Medicina de São Paulo, não é integrante da Sociedade Brasileira de Cirurgia Plástica, e responde pela morte de outros pacientes até hoje, em processos que já chegaram ao Supremo Tribunal Federal. O corpo de outra travesti, de dezenove anos, foi exumado para o Ministério Público descobrir a causa de sua morte. Mesmo com os direitos profissionais suspensos temporariamente, por determinação judicial, Puga segue atendendo, revela o *Jornal da Record* de 9 de março de 2010, uma década depois de Andréa de Mayo morrer na sua clínica. Mas sua morte é interpretada, tanto pela polícia como pela imprensa, como uma fatalidade.

À uma da manhã, Antonieta Miranda avisa Xepa Riso da morte de Andréa. Ela vai à clínica, mas o corpo já não está mais lá. Vai ao IML, e Andréa ainda não está liberada para o velório. Xepa espera pela liberação dos restos mortais da amiga, que é velada na madrugada de quarta para quinta no Araçá, ainda sem definição de onde o corpo seria enterrado.

No velório, aparece um homem de cabelo branco, que as travestis não conhecem. Alguém pensa que é um amante rico, mas Xepa Riso logo descobre de quem se trata. É o pai de Andréa, que mora na Penha, a menos de meia hora de carro da Prohibidu's, mas que nunca pisou na boate. O homem abaixa o olhar e não passa da parede de travestis que cerca o caixão. Quando elas se afastam, para dar passagem ao parente, ele continua com o olhar costurado no chão. Não consegue mirar Andréa no ataúde. Pai Walter está em pé em um canto, com sua indumentária de luto, que é a mesma de celebração, porque para ele as duas emoções são apenas uma. O pai de sangue de Andréa se aproxima do pai de santo. "Vocês já trataram do enterro desse viado?", ele pergunta a Pai Walter, o único outro homem do velório. "Não. Por quê?", responde o pai de santo. O homem, com quem Andréa tinha cortado relações quase quarenta anos antes, responde: "Porque não quero viado no jazigo da minha família". Pai Walter fica em silêncio por um segundo. E responde: "Se fosse o meu filho, eu estaria chorando por ele". Vira as costas e vai velar Andréa, como Ernani, o pai de sangue, não velou. Eles nunca mais se falam. Quando as amigas voltam a se aproximar do caixão, Walter avisa que Andréa vai ser enterrada no jazigo da sua família.

No dia seguinte, ao meio-dia, o cemitério da Consolação está repleto de celebridades. Há as celebridades que estão ali há algum tempo, descansando no silêncio eterno dos seus túmulos, como o escritor Monteiro Lobato e a artista plástica Tarsila do Amaral. Mas há também celebridades bem vivas, vestidas de brilhos, com leques para abanar o calor e secar as lágrimas. São as celebridades da noite que se uniram com o propósito de dizer adeus a uma amiga. O panteão da noite travesti paulistana está reunido, em um raro armistício de rusgas e de egos, para homenagear Andréa.

Quando o caixão está a postos e o enterro prestes a começar, chega um homem idoso de terno que à distância ninguém reconhece. Até que ele se aproxima do túmulo, e as travestis veem que é Pedro de Lara, o jurado televisivo e moralista do SBT. Ele, que critica até os vestidos de Elke Maravilha, aparece no enterro com flores. Não são os lírios que usa como elemento cênico em frente às câmeras. São flores do campo. Mais baixo do que a maioria das presentes, Pedro de Lara compensa a desvantagem levantando bem a voz: "Ela era uma mulher das artes. E na arte não tem homem, não tem mulher. Andréa de Mayo era uma artista. Aqui jaz uma artista", discursa. As travestis batem palma. Uma chora. Simplesmente Nenê, uma drag queen caricata, engole o choro e começa a cantar enquanto o caixão de Andréa é baixado no jazigo de uma família que não é a sua.

And now the end is here
And so I face that final curtain
My friend I'll make it clear
I'll state my case, of which I'm certain
I've lived a life that's full
I traveled each and every highway
And more, much more
I did it, I did it my way

Simplesmente Nenê não está imitando Frank Sinatra. Está imitando Andréa de Mayo imitando Frank Sinatra, como a finada fazia em algumas festas, para divertir as amigas. A música "My Way", muitas delas sabem, é sobre uma pessoa que fez coisas certas e erradas no curso da vida. Mas que viveu do seu jeito.

Às três da tarde, o cemitério já está vazio, a não ser por flores sobre o túmulo da família Alegrio, onde Andréa de Mayo está, como a família de Angela Davis a acolheu. Quem passa pela rua 25, terreno 22 do cemitério Consolação não sabe quem está ali. A placa no túmulo é de um nome que não pertence a Andréa. Um nome que está no seu RG, nas escrituras dos seus imóveis e nos poucos processos judiciais que conseguiram mover contra ela. Um nome masculino que só a burocracia conhece.

A cena emocionante do enterro esconde outras tão tristes quanto, mas por motivos diferentes. Dias depois da morte de Andréa, o império que ela lutou anos para erguer já está quase despido de riqueza. "A casa dela já tinha sido saqueada. Não sei quem foi, mas foi alguma travesti", diz Pai Walter. Al Capone, o pequinês idoso, é resgatado por sua família de sangue, com quem ela não teve contato durante quase toda vida adulta. Um dos irmãos com quem ela não falava há décadas leva o cachorro para a chácara de Andréa. Não fica claro se ele quer que o animal seja livre no mato ou se o leva para lá com um propósito mais obscuro. Há uma lenda na noite de que, além do ouro que guardava no armário, Andréa havia enterrado um baú de joias em algum lugar da chácara. E o único ser vivo que sabia onde estava o tesouro era Al Capone. "O irmão dela pegou o cachorro, levou para chácara e ficava vendo onde ele mijava e abria um buraco. Mas ele não achou, nunca acharam o tal do baú", diz Kaká di Polly.

O espólio de Andréa de Mayo se divide por baixo dos panos. As joias são distribuídas nos dedos de quem as consegue encontrar. Dólares não declarados somem no ar. As casas com registro vão para a família, porque ela não tinha herdeiro legal. Outros imóveis, que nunca foram registrados, têm um fim diferente. Descobre-se que um dos apartamentos que Andréa mantinha como república estava no nome do governo municipal, e havia sido invadido anos antes. Outra república segue existindo mesmo sem a cafetina. "A gente pagava a luz, pagava o condomínio, pagava o gás, faxinava e fingia que nada tinha acontecido. Vivemos mais de dez anos assim. Eu parei de me prostituir, continuei lá um tempo e depois voltei pro interior. Mas tem uma bicha lá até hoje", diz Ivetinha, em 2021.

Seis meses depois de Andréa morrer, Devair se casa com uma mulher cisgênero.

Mas nem tudo é falta de poesia. Na sexta-feira após sua morte, uma página inteira da *Folha de S.Paulo* é dedicada à sua vida. Erika Palomino, a colunista de moda e de noite do jornal, recebe na quinta a notícia da morte da rainha, e decide escrever uma notícia breve sobre o ocorrido. "Comecei a escrever o que era para ser uma nota. Mas daí eu comecei a ligar, e falar com pessoas que sabiam alguma coisa sobre ela." Quando Erika se dá conta, tem um texto de quinze parágrafos. O obituário leva o título "Histórias de um underground brasileiro", e narra a luta de Andréa para conquistar o posto que teve em vida. Palomino escreve: "Andréa se tornara uma espécie de mãe de todas. Poderosa, protegia e defendia os travestis das intempéries da vida noturna. Quando abriu sua própria boate, a Prohibidu's, na Amaral Gurgel, passou a abrigar então esse segmento que, muitas vezes, é marginal até mesmo dentro da comunidade gay (muitos clubes noturnos não deixam entrar os travestis)". É só no fim do texto, que parece um perfil, que Erika Palomino revela que Andréa de Mayo está morta. A coluna termina com a frase: "Uma história ímpar e, ao mesmo tempo, uma história comum no Brasil, Andréa de Mayo, que nasceu e morreu em maio, já é um mito na vida de São Paulo".

"Eu fiquei sensibilizada demais escrevendo essa coluna. Era uma biografia que não existia, para que aquela vida não ficasse sem lembrança." No dia seguinte à publicação, começa uma repercussão que não parou até 2021. "O texto pegava as pessoas num lugar de empatia que tirou muita gente do preconceito. Muitas pessoas me ligaram chorando e fiquei bastante sensibilizada. Não tive nenhuma reação negativa. Nenhuma", diz Palomino.

Erika Palomino tem até hoje um retrato enorme de Andréa, sentada no banco de trás da sua limusine, com o cão Al Capone ao lado do seu tailleur vermelho-sangue. A foto foi feita por Claudia Guimarães para uma reportagem na *Folha*, e também foi usada no obituário de Andréa de Mayo. Em 2021, a Andréa da foto observa Erika da parede do seu escritório.

A Prohibidu's nunca mais abre. Mas nada impede que o público da boate vá até ela, para prestar a última homenagem à pessoa que criou aquele universo. Sete dias depois da sua morte, um grupo de travestis se reúne na ilha que divide as duas faixas da rua Amaral Gurgel que vão no sentido de Perdizes das duas faixas que vêm, no sentido da praça Roosevelt. Estão todas desmontadas. Debaixo do Minhocão, elas rezam, olhando para a Prohibidu's. É uma missa de sétimo dia em nome de uma das maiores rainhas que São Paulo já teve.

"Ah, foi tão triste. A minha amiga morreu", diz Kaká di Polly, com a voz embargada. Para, então, retomar o assunto com o humor cáustico que a noite lhe ensinara: "Andréa morreu. Morreu com o presunto fatiado. Morreu sem a bunda, o que era o sonho dela", diz Kaká di Polly.

Enquanto algumas rezam pela alma de Andréa, outras agradecem aos céus. "Eu vou ser sincero: eu não fiquei feliz pela morte, mas acho que a Andréa de Mayo fez muita coisa ruim para muita gente", diz Rodrigo. E faz um desejo para a mulher com quem morou em 1995: "Que descanse em paz… ou que queime no inferno".

8. Meio quilo de cocaína no banco de carona

O trajeto entre a Nostromondo, boate no encontro da avenida Paulista com a rua da Consolação, e a Homo Sapiens, casa noturna a dois quarteirões da Prohibidu's, é uma reta que leva dez minutos de carro. Mas, em uma noite de 1997, uma carona entre os dois pontos dura uma eternidade. Ao menos é como Kaká di Polly se lembra.

A essa altura, Kaká já trocou seu calhambeque por um carro mais moderno e está de partida da Nostromondo. Na saída, encontra Cristiane Jordan. Kaká está montada, com um vestido de pedrarias e o rosto maquiado. Cris está com o rosto limpo e um vestido decotado com uma estampa florida, e leva na mão uma bolsa de vinil gigante, mas que parece pequena perto do seu corpo avantajado. "Ela usava umas roupas de malha bem vagabunda", diz Kaká, com o conhecimento de quem é herdeira de uma tecelagem.

Cris pede uma carona para Kaká. "Ela disse que também ia para o centro. Burra, ingênua, não pensei e coloquei ela no banco da frente, do meu lado." Outros quatro amigos vão no banco de trás. Enquanto o carro desce a Consolação, o grupo é parado por uma blitz policial em frente ao Corpo de Bombeiros. Quando estaciona, um policial vem até a janela e pergunta quem são. Kaká dita o nome de cada um, até chegar em Cristiane Jordan.

O guarda pergunta: "E essa Cristiane?".

Kaká responde: "Ela? É minha amiga".

O policial olha desconfiado para Kaká. Talvez porque Kaká seja um homem branco, num carro de rico com uma pessoa negra ao lado. "Eu olhei para a cara dele, firme. Ele viu que eu não pisquei. E me liberou", lembra Kaká. O carro retoma o curso ao centro. Quando chegam em frente à igreja da Consolação, Cris fala: "Que bom que nós passamos", e tira uns quinhentos papelotes de cocaína da bolsa. "Aquilo junto devia dar um quilo", diz Kaká, que a partir dali jura que nunca mais dará carona para ninguém da noite. Passa a estacionar o carro longe da boate e sair de fininho na hora de ir embora, dizendo para quem pede carona: "Mas eu não tô indo embora, vou só comer um acarajé na baiana ali na esquina".

A falta de carona deixa de ser um problema para Cristiane Jordan no fim da década de 1990. O dinheiro que ganha achacando as prostitutas, que já seria suficiente para comprar um carro, ganha um complemento. Ela começa a traficar drogas. E, em 1997, aparece com um Mercedes Classe C branco. O sedan é longo e quadrado, tem cara de viatura de luxo. Ou, como apresentaria a própria Cristiane para as amigas: "É o meu carro de pai de família".

Cris passa a fazer sua patrulha com o carro, que é herança de uma europeia de quem tomou a Mercedes depois de impor uma dívida imaginária. Enquanto isso, as que chegam da Europa trazem novas tecnologias que mudam as ruas. "Quando surgiu celular a gente tinha. Éramos que nem as patricinhas de Beverly Hills", diz Claudia Edson. Quando estão de férias no Brasil, com medo de serem extorquidas pela polícia ou por Cristiane Jordan, elas criam uma central telefônica. Uma liga para a outra quando é parada pela polícia e todas vão ao seu encontro. Antes que a travesti seja apreendida, já havia meia dúzia de europeias, com seus carrões e suas bolsas de marca, cercando o camburão: "Você vai levar ela ou colocar droga no carro dela?". Cristiane para o seu Mercedes Classe C branco, desce e se posta ao lado dos policiais, sem dizer uma palavra. "Essa coisa de a gente nunca deixar a outra sozinha ajudou muito", diz Claudia Edson. "A gente evitou que muita bicha ganhasse doce da polícia."

O momento parece ser de afluência para Cristiane Jordan. Ela está mais rica do que nunca, explora mais prostitutas do que qualquer outra cafetina do centro e consegue traficar drogas em lugares que ninguém mais chega. Andréa de Mayo, por exemplo, faz vista grossa para o tráfico de Cris dentro da Prohibidu's. Ela detém o monopólio de venda ali dentro até o fim da boate.

Mas alguma coisa começa a degringolar na virada dos anos 2000. Cristiane começa a usar as drogas que vende, e seu comportamento fica mais errático. A planilha que se vangloriava de dizer que carregava na cabeça, se embaralha. E tudo isso é testemunhado no dia a dia, como quando ela vê uma travesti mirrada, chamada Titiquinha, sair da Prohibidu's, a levanta pelos braços e grita:

"A bicha quer dar o truque? Por que não pagou o da semana?"

É preciso que Andréa saia da boate correndo, bata no seu ombro e diga: "Cris, essa não é sua filha. É minha".

Cristiane solta Titiquinha e vai embora, ao mesmo tempo transtornada e como se nada tivesse acontecido.

A LENDA LEVA UM GOLPE

Rosana e Roseana são irmãs. As duas são altas e loiras, e poderiam ser confundidas a meio quarteirão de distância, não fosse por uma diferença estrutural: Rosana é cheia de curvas, enquanto Roseana faz um tipo esguio de modelo dos anos 1990. As duas são artistas também, fazendo jus à tradição da família. Os pais se conheceram no circo Stankowich. O padrasto trabalha com Renato Aragão, ensinando o Didi dos *Trapalhões* a dar cambalhotas e fazer palhaçada.

Mas a forma de arte a que Rosana e Roseana Starr se dedicam é a noite. As duas são artistas transexuais que se apresentam nas maiores casas noturnas do Brasil e que fazem turnês pela Europa. Não à toa, o choque de Rosana é imenso quando Roseana chega ao seu apartamento, na praça Roosevelt, tremendo e chorando, com o rosto ensanguentado.

"Ela me roubou. Aquela mulher horrível me roubou. Ela me bateu", diz Roseana, a fala salpicada por soluços.

"Quem?", quer saber a irmã.

"Aquela Cris Negão."

"Quando eu vi minha irmã chegar toda quebrada, meu lado mãe falou mais alto", diz Rosana. De imediato, ela desce do apartamento, pega um cano de ferro que encontra na caçada e sai à caça de Cristiane Jordan. Acontece que Rosana, uma europeia que meses antes voltou para o Brasil de vez, tem seus contatos. É casada com um uruguaio de dois metros de altura que trabalha com filmagem de eventos do ex-prefeito Paulo Maluf, tem um salão de beleza com o seu nome na rua Santa Isabel, a mesma da Santa Casa de Misericórdia, e uma de suas clientes é a mulher do delegado do 77º Distrito Policial de São Paulo, um dos maiores da cidade, embaixo do Minhocão. Antes de ir para o confronto, Rosana liga para a cliente. O marido diz: "Pode trazer aqui que eu cuido dela", e manda uma viatura ao encontro de Rosana, que está percorrendo o Minhocão atrás de Cristiane Jordan. Até que ela encontra Cris na frente de um bar, com uma bolsa na mão. Rosana reconhece: é a bolsa da irmã.

Rosana Starr respira fundo e vai na direção do mito, com a barra de ferro levantada. O marido a ajuda a segurar Cristiane, enquanto ela dá vazão aos seus quase dois metros de raiva. "Eu comecei a bater. Batia tanto. Mas tanto. E todo mundo estava ali, olhando. Acho que até a Andréa de Mayo estava, do outro lado da rua", diz. No meio da surra, surge um carro de polícia. Cris é levada para a delegacia, enquanto Rosana e seu marido seguem para lá de caminhonete.

Chegando ao prédio, a cinco minutos da Prohibidu's, Cris é levada a uma cela. Mas antes, ainda algemada, é revistada. Uma policial retira Xuxinha, a faca que ela carrega amarrada na canela, depois a mulher enfia os dedos sem luva na boca de Cristiane. Revista suas gengivas até tirar as duas giletes, Gigi, velhas amigas há quase vinte anos, de dentro. Sua bolsa também é tirada de perto, com Consigliere. Cristiane é deixada sozinha dentro de uma cela. E, pela primeira vez na carreira, não tem como obrigar os policiais a levá-la para o hospital. O delegado pergunta em voz alta para Rosana Starr: "O que você quer, que a gente deixe ela a pão e água?". Rosana faz que sim com a cabeça, antes de pegar o marido uruguaio, a caminhonete, a sanha de vingança e partir.

Ao fim de quatro dias, Cris volta para a rua. Ainda tem seu apartamento. Ainda tem dezenas de prostitutas para extorquir com uma mão e para proteger com a outra. Ainda tem um carro que custa dezenas de milhares de dólares, e uma clientela ávida pelas drogas que irriga pela noite. Mas a lenda sai arranhada, mostra que é humana. A fama de invencibilidade de Cristiane Jordan leva um golpe. Começam a dizer na rua que Cris Negão até chorou dentro da 77.

Interlúdio
Boate Blue Space
1998

A boate está cheia. Não faz nem dois meses que foi inaugurada na Barra Funda, bairro fabril do centro da cidade. É um galpão que comporta quase mil pessoas, e mostra como a noite LGBT de São Paulo ganhou força nos últimos anos.

A fachada do casarão é azul como uma pílula de Viagra há pelo menos duas décadas. O novo dono não tem dinheiro para mudar a pintura do galpão, que antes era uma boate chamada Anjo Azul, e cria um nome em inglês para justificar.

O palco da Blue Space é um transatlântico, tem mais de dez metros de largura. E está escuro até que as luzes se acendem.

No meio dele, está uma drag queen de quase dois metros. Márcia Pantera tem o corpo de uma estátua de mármore grega a quem foi dado o presente da vida. Ela veste um corpete com estampa de pele de onça, luvas da mesma padronagem e uma faixa de cabelo do mesmo tecido. Sua calça é de vinil preto, e parece uma camada brilhante de petróleo sobre a pele.

Let me take you to a place I know you want to go
It's a good life

A música começa e os lábios de Márcia Pantera acompanham a letra enquanto ela vai de um lado ao outro do palco, sorrindo para a plateia. Quando volta para o centro, ela se vira. Põe as mãos no quadril e encara o público, sorrindo e revelando um segredo: um rabo de pantera que sai dos fundilhos da legging.

O modelo, como muitos outros, é criação de Alexandre Herchcovitch, um jovem estilista de uma faculdade privada da cidade que se tornaria um dos maiores profissionais de moda da história do Brasil.

I wanna stand around and beg you
Just don't say no
No no
No no

Márcia dança tranquila, faz movimentos amplos com os braços, desfila sobre uma bota de salto doze. Parece que vai ser um show pacato.

I have got a feeling that you're gonna like it
What I'm doing to you
And I know what I'm doing
I'll be doing what you want to me to do
Love is shining
Life is thriving in the good life

A drag queen, que pode ser vista descendo a rua Augusta de skate durante o dia e jogou vôlei profissional, rebola devagar o quadril enquanto passa a mão no cabelo.

Good life
Good life
Good life
Good life
Good life
In the good life
Good life

Depois do refrão, Márcia dá uma cambalhota para trás em câmera lenta e termina de fazer a volta de quatro, olhando para a plateia como uma felina.

O som para. A música vira outra coisa enquanto Márcia se levanta. Se antes era um pop alegre, agora ganha velocidade com batidas eletrônicas. Ela bate palmas com os braços estendidos para cima. A plateia a imita, marcando o ritmo da música.

Márcia dá uma estrela até o fundo do palco, onde fica uma parede cheia de estruturas metálicas, como se fosse um andaime que foi esquecido após a conclusão do prédio. Ela agarra uma das ripas metálicas com a mão e faz força. Márcia Pantera escala a estrutura de metal da parede com a rapidez de uma atleta. Sobe até o alto, a quase dez metros do chão. Lá em cima, para. Pendurada, olha para o público e começa a dublar a música, que é repetida só no refrão, em sua versão eletrônica.

Good life
Good life
Good life
Good life
Good life
In the good life

Com os braços fortes, se vira de ponta-cabeça, como um morcego em cochilo. A plateia emite gritos de pânico e de deslumbre. Só com a força das pernas, Márcia volta a agarrar a estrutura de ferro e se desvira. Desce do andaime e cai no palco, em cima dos saltos da bota de vinil.

Márcia solta o cabelo, que cai como asas atrás das costas. Posta-se na frente do palco, dobra o torso para a frente e deixa as madeixas caírem sobre o rosto.

E, então, no ritmo acelerado da música, começa a movimentar a cabeça para um lado, para o outro e em semicírculos. Ela chicoteia o cabelo no ar, mas a peruca não cai.

É bate-cabelo, um estilo de dança que ela cria sem querer nos anos 1990. Além de ser um espetáculo para os olhos, o bate-cabelo tem um caráter competitivo: quem consegue mexer tanto a cabeça sem perder a peruca quer passar o recado que aquele é seu cabelo natural.

Por mais que, no caso de Márcia Pantera, seja só uma peruca presa por um exército de grampos. A música cessa e a cabeça de Márcia para. Ela está ofegante na frente do palco, sorvendo oxigênio e as palmas de uma boate lotada.

9. Armadura da noite
2000

O Mercedes Classe C branco capota uma, duas, três vezes antes de pousar com as rodas para cima, em um gramado que margeia a via Dutra, alguns quilômetros depois do santuário de Nossa Senhora Aparecida. Ninguém vê a cena, cuja única testemunha é o sol, nascendo no horizonte e iluminando as ferragens, dentro das quais está Cristiane Jordan, entre a vida e a morte.

É a segunda de Carnaval de 2001, e Cristiane voltava do Rio de Janeiro antes do previsto. O combinado era passar a semana toda na cidade com o namorado e umas amigas. Mas, depois de uma briga no quarto do hotel, alimentada por ciúme, álcool e cocaína, ela decide ir embora. Pega o carro no meio da noite, sai pela estrada e quase morre de maneira cinematográfica em um acidente que não envolve outros veículos.

Cristiane some das ruas de São Paulo, internada em um hospital público do interior por um mês. Quando sai, está com vinte quilos a mais, beirando os 110. "Foi o tanto de soro que tiveram que colocar na minha veia", defende. "Eu entrei gostosa e saí uma jamanta", diz Cris, quando volta a São Paulo. A verdade é que soro não engorda. Cristiane pode ter ganhado peso como efeito colateral de remédios como corticoides, que foram usados no seu tratamento, aliado à falta de atividade física. Mas é provável que também tenham entrado na equação as substâncias de que vinha fazendo uso. Depois de anos trafegando alheia em um universo de vícios, Cristiane está viciada em cocaína. Ou, como dizem as travestis ao redor, Cris Negão caiu e deitou pra cocaína. "A Cris sempre bebeu. E bebeu bem. Até aí, todas nós. A questão é que ela começou a cheirar. E foi o começo do fim dela", diz Kaká di Polly.

O capotamento não é um susto tão grande para fazer Cristiane parar de cheirar cocaína, de beber ou de dirigir. O carro que sucede o Classe C é outra Mercedes, mas uma Classe A. Este salto pode parecer uma evolução, mas é o contrário. O carro novo de Cristiane é o mais barato da montadora, uma perua diminuta em que ela mal cabe. Além disso, a aparência de Cris nunca mais será a mesma.

Se até a virada dos anos 2000 ela não era a travesti mais sofisticada do centro, a partir da virada do milênio ela perde os poucos indícios de vaidade que guardava. Cristiane passa a usar camisa xadrez em cima de camiseta e calça jeans, deixa de fazer as unhas duas vezes por semana e abdica do pouco de maquiagem que ainda usava, mesmo que detestasse. Há pessoas que interpretam a mudança como uma volta à identidade masculina. Mas não é o caso. O sonho da vida de Cristiane Jordan ainda é fazer uma cirurgia de confirmação de gênero, ela diz para quem quiser ouvir. Ela fantasia uma ida à Suíça ou à Tailândia, da qual vai voltar como sempre quis ser. Mas, mesmo ganhando uma fortuna, é difícil guardar dinheiro quando se cultiva um vício em drogas.

Cris não está sozinha. A noite queer de São Paulo está em transformação no começo dos anos 2000. Saindo do armário, por assim dizer. Em 2004 é inaugurada a The Week, uma casa noturna do tamanho da estação ferroviária Francisco Morato, onde até 3 mil pessoas enchem duas pistas diferentes cinco noites por semana. Festas como a Babylon e a Toy reúnem dezenas de milhares de clientes. A noite gay, mais do que a LGBT, é abraçada pelo mercado. Festas de homens que gostam de homens se tornam um investimento milionário, deixam de se esconder em casas do centro degradado e passam a ostentar seu orgulho e seu dinheiro.

Nesse contexto de casas noturnas titânicas, nascem novas modalidades de festa. A Pool Party, por exemplo, começa a se popularizar na São Paulo dos anos 2000. Centenas de homens gays dançam de sunga ao redor de uma piscina, que começa a ser elemento obrigatório das maiores boates da cidade. E Cristiane Jordan se torna uma frequentadora fixa. Ela não faz show, até porque festas na piscina costumam ser alimentadas a música eletrônica, e não ter shows de drag queens ou de travestis. Cristiane vai às festas, vestida dos pés à cabeça, para fazer negócios. Ela vende cocaína para os festeiros porque consegue entrar com a droga em qualquer ambiente com um truque que aprendeu na noite — carrega a droga embaixo da peruca, onde nenhum segurança ou policial a revista.

Certa noite, ela tropeça em uma das maiores boates do centro e derruba a peruca diante de uma pista de dança repleta. "Sabe madame quando enche o cabelo de papel alumínio para fazer luzes no salão de beleza? Então, era tipo aquilo. A cabeça dela estava cheia de papéis grudados. Mas eram papelotes", conta o bailarino Mario José da Cruz, que trabalhava em seis casas noturnas gays no começo dos anos 1990. No momento em que Cris tomba, desnorteada pelo que já havia bebido e cheirado, a maioria dos papelotes se desprende da touca que usa entre o cabelo natural e a peruca — chamada de jacaré pelas travestis —, e voa pela pista. "Parecia uma pinhata. Foi Natal para muita bicha naquele dia, pó de graça caindo do céu", lembra o designer Mário da Cruz, que presenciou a cena. As pessoas correm para pegar os papelotes do chão e sair de perto de Cristiane, para não serem cobradas.

A nova empreitada não substitui a cafetinagem. As duas, na verdade, se aliam: além de vender para os consumidores finais, nas boates, Cristiane abastece as filhas com cocaína para que repassem aos clientes. "Muitas vezes o boy quer cheirar durante o programa, mas não quer ir buscar. E as meninas acabam fazendo essa ponte. E era a Cris que fornecia para elas terem o que vender para os clientes", diz Kaká di Polly.

Mas o uso de drogas tem efeitos mais nocivos e imediatos do que o afrouxamento do seu poder ou um ganho de peso. Cristiane desenvolve um medo paranoico de estar sendo seguida. Passa a circular sozinha pela noite, sem falar com ninguém além das filhas e dos clientes. Em 2002, abandona o apartamento do edifício Redondo, onde ficou por quase vinte anos. De lá, leva o exército de pelúcias para uma quitinete na avenida Ipiranga, sem móveis. Demite Susana, a empregada que está com ela há uma década, por desconfiança. Fica dias sem sair de casa. "De tempos em tempos, a Cris mudava de casa e de carro, para se proteger mesmo", diz Naná Munjirê, sacerdotisa que a conhece nesse período e vira uma das pessoas mais importantes da sua vida. "Teve uma época em que ela estava o tempo todo olhando para trás. Ela tinha medo. Foi um período em que ficou completamente paranoica", diz Kaká di Polly.

Além de carregar consigo Consigliere, Xuxinha e Gigi, Cristiane Jordan passa a dormir com os seus três assistentes. Toda noite, ela se deita e fica acordada, tensa, em uma cama com mais de trezentos bichos de pelúcia, mais um revólver, uma faca e um par de giletes cortadas pela metade escondidas na gengiva.

UM RECOMEÇO, DE NOVO

Dois anos se passam sem que Cristiane saia do buraco onde caiu, até que a famosa planilha que funciona na sua cabeça tem um momento de clareza. Ela se dá conta de que está lucrando menos da metade de dez anos antes, porque o número de filhas diminuiu drasticamente. Em 2004, Cristiane Jordan não tem mais o monopólio do centro. Se antes os anúncios de sexo à venda precisavam ser feitos na rua, por corpos ostensivos, ou através de cafetinas como Jacqueline, a tecnologia chega para transformar essa transação em um mercado virtual. Travestis começam a oferecer seus préstimos na internet, em um ritmo de mudança acelerado. Em 1998, o Brasil já ocupava o 19º lugar de países com mais pontos de conexão à internet do mundo. Em 2004, grande parte da venda de sexo já havia migrado das ruas para sites e programas de bate-papo como o ICQ. E as mãos de Cristiane podiam ser fortes, mas não chegavam em cada lan house ou quarto de hotel do centro. A figura da cafetina sofre mais um baque, mas ainda permanece de pé graças às dezenas de prostitutas que seguem batendo ponto nas ruas.

Tal mudança transforma Cristiane em uma pessoa religiosa. Pela primeira vez, ela aceita a oferta de ajuda da amiga Marcinha da Corintho, que a leva a uma chácara em Itaquaquecetuba, cidade vizinha a São Paulo. É a casa de Naná Munjirê, uma sacerdotisa de culto iorubá. Assim como ela, Naná Munjirê é transexual e também passou tempo na rua antes de se encontrar com o sagrado. As duas se dão bem de imediato, e Cris passa a se dedicar à religião com o mesmo fervor que já havia se dedicado às drogas e à cafetinagem.

"A Cris era de Iansã com Ogum, dois orixás guerreiros, mas ao mesmo tempo bondosos. Então era um leão, mas um leão com amor e sentimento", diz Naná. "E nessa época estava sofrendo muito. Mas aí ela começou a se cuidar. Cuidar da alma e cuidar do corpo", diz a sacerdotisa. De um dia para o outro, Cristiane para de cheirar cocaína. Se tranca em casa e passa duas semanas lidando com a abstinência sozinha. Para a sacerdotisa, ela só diz que foram os piores dias de sua vida e que se reencontrou com muita gente que já havia partido deste mundo, mais nada.

Um mês depois do primeiro encontro, Cris chega sorrindo na casa de Naná. "Tô boa. Voltei a ser eu mesma", ela diz para sua guia espiritual. "Ela era um ser humano límpido, bom. Mas na batalha você precisa ter uma armadura. E a noite é uma batalha. Uma batalha com uma trégua de algumas horas, que se chama dia, mas é uma batalha", diz Naná. Depois de se limpar, Cristiane se muda do centro. Vai para um apartamento no viaduto Major Quedinho, que é separado do bairro da República apenas por uma ponte, mas que tecnicamente já está na Bela Vista. O distanciamento é principalmente simbólico.

Cristiane começa a namorar um homem que não é da noite, fato que a deixa orgulhosa. Um namorado que ela esconde no seu bairro, e não leva nas visitas noturnas ao centro. "Eu acho que a Cris se encontrou na vida. Ela tinha joias. Ela tinha as bolsas. Toda bicha que vinha de fora trazia presente para ela. Ela estava bem. Feliz", diz Kaká di Polly.

Cristiane Jordan, uma figura noturna, passa a ser vista durante o dia, saindo para funções prosaicas como visitar o tapeceiro. É numa dessas manhãs que Divina Nubia quase a atropela. Nubia está no carro com a mãe, saindo do açougue e descendo a rua Santo Antônio, na Bela Vista, quando um vulto enorme pula em frente ao carro. "Ela parou com o peito colado no capô e as duas mãos espalmadas em cima da lataria", conta Divina Nubia. Cris olha pelo vidro da frente do carro, sorri e grita: "Ah, Divina, você quer me matar?". Cris ainda reconhece a mãe de Nubia, que conhecia do sapateiro, e vai até a janela do passageiro para lhe dar um beijo. “Magina, bicha, não tem nada não. Passa, passa. Beijo!”, diz Cristiane, a dona de casa. Dentro do carro, de novo em movimento, Divina Nubia comenta com sua mãe: “Ah, mãe, é só o que me faltava, a gente matar a Cris Negão”.

O estilo de vida mais pacato não se traduz em um abandono do poder e jurisdição de Cristiane Jordan. Ela ainda faz uma ronda noturna pelo centro, no seu Classe A branco. Ainda para e conversa com as prostitutas, dá beijo nas filhas, assusta quem está atravancando os negócios e repreende quem não honra o pagamento semanal, às sextas-feiras. Além de seguir cafetinando dezenas de prostitutas de rua, ela sempre encontra tempo para fazer bicos como mercenária, como descobre Rony Matos.

Rony é um peruqueiro de São José do Rio Preto que no palco interpreta Nally Picumã, uma drag matrona rechonchuda. Mas é com suas criações capilares que ele conquista o respeito das travestis e drag queens do centro. Ele viaja para a Europa pelo menos uma vez por ano e cuida da beleza de artistas como Elke Maravilha. Mas, no meio dos anos 2000, Rony se vê envolvido com o tribunal de Cristiane Jordan. “Eu nunca vou esquecer do dia em que cruzei com essa pessoa, se é que posso chamar de pessoa”, diz Rony.

Ele está no camarim na boate Blue Space quando Marcinha da Corintho se aproxima e passa os dedos fascinada pelas perucas que ele traz numa mala. Marcinha gosta tanto do que vê que compra sete perucas, que somam sete mil reais. Diz que vai pagar na segunda, quando uma amiga voltar da Itália e saldar uma dívida, mas não paga. Rony cobra de novo, e Marcinha propõe um acordo provisório: “Eu tenho umas coisas de ouro em casa e a gente vende pra fazer dinheiro”. No fim de semana seguinte, os dois se encontram de novo na Blue Space. Ela entrega uma caixa e diz: “Toma. São joias. Você vai no penhor da Caixa e troca isso por dinheiro e a dívida está paga”. Rony propõe à cliente: "Vamos juntos". Marcinha só o abraça e diz: "Eu confio em você, vá". Rony vai ao banco e consegue só dois mil reais pelas peças, quase todas bijuterias. Dias depois, Marcinha parte para a Itália, onde mora. "E ficou me devendo cinco mil reais", diz Rony.

Ele não esquece da dívida. Meses depois, descobre que Marcinha está de volta ao Brasil e liga para sua casa cobrando o dinheiro. Marcinha só responde: "Quem é você para me cobrar?", e bate o telefone. Dias se passam e Rony recebe uma ligação. É Cristiane Jordan, pedindo para ele ir à sua casa, porque Marcinha quer pagar a dívida. Como Rony já conhece Cris, sabe que pode ser uma arapuca. "Isso é doce, não vai. Ou vai com o meu marido, porque vai ser babado", aconselha um amigo. Rony decide ir sozinho.

Cristiane Jordan recebe Rony no térreo do prédio, dá dois beijos e o pega com ambas as mãos no ombro. "Me conte sua versão da história", Cristiane pede. Rony conta, enquanto sobem de elevador. Quando cruzam a porta do apartamento, ela se transforma. "Viado, essa história está muito mal contada! Márcia vem aqui!", ela grita. Saem do quarto Marcinha e seu marido, com uma arma em punho. Cris alisa suas cicatrizes e diz: "Você nunca deveria ter colocado meu nome na boca do povo".

"Ela começou a berrar. Disse que tinha pacto com o diabo e falava que tinha sei lá o que correndo nas veias, em vez de sangue", diz Rony. Só ali ele percebe que caiu em uma cilada. A visita não é para pagar dívida nenhuma, mas sim um julgamento a portas fechadas. Depois de ouvir as versões de Marcinha e de Rony, Cristiane para com o dedo sobre a boca, como se estivesse pensando. Diz: "Então está decidido". E profere o seu veredicto: "Já que você é safada, Marcinha, está multada em cinco mil reais. E Rony você também em cinco mil." Ambos os lados ficaram descontentes com a sentença. Mas Cristiane dá o assunto por concluído. “Se alguém aqui de São Paulo falar mais uma vez dessa dívida, os dois vão ter que pagar muito mais do que isso.”

Rony vai embora do prédio sangrado das suas economias, chorando e tremendo. Quando está prestes a entrar no elevador, Cristiane diz, baixinho: “Eu sei que ela é safada, mas estou ganhando para isso”. Ele anda da porta do prédio até a rua São Bento chorando sem parar. “As pessoas paravam o carro para tentar me socorrer. Eu sentia como se minha mãe tivesse morrido. Foi um dos piores momentos da minha vida.” A partir desse dia, Rony passa a ir escondido para São Paulo. Não se sente mais seguro andando em ruas controladas por Cristiane Jordan.

“NÃO É PORNÔ, É ARTE”

No começo de 2006, Cristiane dirige pelo centro com a cabeça para fora, berrando para as prostitutas: “Eu vou fazer cinema!”. E, um quarteirão depois, completa: “E não é pornô! É arte!”.

Cris acaba de sair de um encontro com o diretor René Guerra, e vai fazer parte do seu próximo filme, *Sapatos de Aristeu*, como uma das protagonistas. É assim que ela dá a notícia às amigas, omitindo que René, na verdade, é um aluno do último semestre do curso de cinema da Faap e que *Sapatos de Aristeu* é um curta-metragem que não vai entrar em circuito comercial. Mas a mensagem é clara: Cristiane Jordan é convidada a fazer um filme de arte em um papel de destaque, em um elenco majoritariamente travesti, ao lado de colegas, amigas e inimigas como Phedra de Córdoba, Paulette Pink, Gretta Starr e Divina Nubia.

“Nessa época, a Cris só trabalhava de quinta a domingo, então marcamos os ensaios para os outros dias”, conta René. O diretor marca uma leitura coletiva de roteiro. Todas vão e mostram uma tensão de principiante, como se já não somassem um século de palco juntas. "Elas achavam que estavam sendo testadas, mas quem estava sendo testado na verdade era eu", diz René.

A história de *Sapatos de Aristeu* é a de uma travesti que morre e é levada de volta para a casa da família antes do enterro. A mãe, preconceituosa e desgostosa, tenta esconder a real identidade da filha. Corta o cabelo do corpo inerte e tenta forçar as curvas conquistadas com silicone em uma roupa masculina. É um filme com forte carga emocional, o que exige dedicação e ensaios.

O entusiasmo inicial começa a se dissolver conforme Cristiane vai sentindo o quanto de trabalho teria para fazer um filme de dezessete minutos. Nos ensaios, ela está sempre inquieta, de cinco em cinco minutos se levanta para ir ao banheiro. "Eu perguntei para o namorado, que estava com ela, se ela estava irritada. Ele explicou que não, era o silicone, que deixa a perna adormecida", diz o diretor.

A semanas da gravação, Cristiane some. No dia da filmagem, não aparece. O diretor recebe um recado da figurinista, de quem Cristiane tinha se aproximado e apelidado de Chaveirinho, porque é muito mais baixa do que ela. "Ela foi para Florianópolis com o namorado. E disse 'foda-se o cinema'", ouve o diretor. "Acho que a Cris estava é com medo. Se sentindo velha para fazer alguma coisa nova, com medo de não dar conta, sabe? As pessoas acham que não, mas gente como ela também sente medo", diz Divina Nubia.

O curta é rodado com todo o elenco, menos Cristiane. É apresentado em festivais e ganha prêmios. Cristiane Jordan não está nos créditos. Mas em breve estará. O próximo filme de René Guerra vai ser sobre sua vida e sua morte, por mais que os dois ainda não saibam disso.

Em 2006, Cristiane recebe no seu apartamento alunos de jornalismo da Universidade Metodista de São Paulo. Conta a história da sua vida, com algumas adaptações, como a ida para a Europa que nunca existiu. E afirma para eles que está preparada para se retirar da vida pública. Vai pegar as economias, fazer a cirurgia de confirmação de gênero e, quem sabe, se aposentar. "Não tem como voltar atrás. Tirar o silicone e desmanchar os traços femininos. E, como não existe maricona travesti, vou operar. Já achei o médico, e com ele é vapt-vupt. É só marcar e ir", conta. Depois que o trabalho de conclusão de curso é apresentado, ela passa a abordar um deles na rua, para saber quando o documento vai de fato virar um livro e ser vendido.

No dia 5 de setembro de 2006, uma véspera de feriado prolongado, Cristiane chega cedo à boate Blue Space, na Barra Funda. O lugar ainda está fechado, mas Cris não está lá para trabalhar. Foi visitar a amiga Thalia Bombinha, que está ensaiando um show para estrear no dia seguinte. Um talento cômico, Thalia já foi segurança da Nostromondo antes de começar a se montar. Sua drag queen empresta o nome da diva mexicana Thalia e é obesa e hilária. Cristiane encontra Thalia no camarim, e diz: "Gorda, vim aqui antes do show porque amanhã não vou conseguir. Vou pra Naná resolver uns babados". As duas vão até a cozinha da boate. Pegam dois copos americanos e enchem de café coado que está na garrafa térmica. Thalia vai até um dos armários e, de costas, pega alguma coisa. Vira sorrindo, com uma lata de Leite Moça na mão. Cada uma derrama meia lata de leite condensado no café e bebem conversando.

Cris tira da bolsa uma sacola de plástico. Dentro há um corte de tecido estampado, que entrega de presente para Thalia. "É bem grande, pra você fazer um vestidão, gorda." As duas se abraçam.

"Já vou indo, bicha, que tem muita coisa pra fazer", diz Cris, e vai embora. Para nunca mais ver a amiga. "Eu peguei esse tecido e fiz um vestido que tenho até hoje. Um vestido lindo, com um decotão, do jeito que a Cris gostava. Que nem minha amiga gostava", diz Thalia Bombinha, com a voz embargada de choro, em 2021. No dia seguinte, Cris estaria ocupada demais para sair. Seria o seu último dia de vida.

Em 6 de setembro de 2007, uma quinta-feira, Cristiane aparece sem avisar na casa de Naná Munjirê. Ela se senta em frente à sua guia espiritual e diz que está com um sentimento estranho. Com um nó na garganta que não consegue desfazer. "Foi um cara esquisito em casa se oferecer para fazer tráfico. Passar pó para as meninas, entrar num esquema maior. Eu disse que não ia fazer nem deixar que fizessem", diz Cristiane a Naná. A sacerdotisa então joga búzios para saber o que Cristiane deve fazer. E não gosta do que vê.

Na primeira leitura, nove búzios caem abertos, com as bocas para cima, o que Naná lê como um sinal de Ossá, um carrego de santo. A leitura que ela faz desse jogo é que Cris é uma pessoa lutadora que vive cercada por outras que fingem ser suas amigas. Nas três vezes seguintes que joga os búzios, Naná lê Obará, uma formação com seis búzios abertos. Ela fica atarantada — a combinação é um sinal de perda total. Um dos augúrios mais assustadores que já tinha recebido de um oráculo.

"Obaraça se apresentou e disse que ela estava em perigo", diz Naná.

A sacerdotisa adverte sua cliente. "Saiu no oráculo, o oráculo disse que ela estava em perigo de vida." Naná recomenda que Cristiane não volte para São Paulo. "Fica para a gente fazer alguma coisa. Um ebó para limpar sua energia, alguma coisa." Cristiane agradece, mas diz que tem o cabelo de uma filha para trançar, e pode voltar na terça seguinte. "Não, fica. Hoje não é para você estar na rua", insiste Naná. Cris recusa. Vai até seu carro, mas o Classe A está com o motor enguiçado. Não liga. "Eu disse para ela que era um sinal. O mundo estava mostrando que não era para ela ir. Mas pergunta se ela ouviu?" Cristiane espera até alguém ir consertar o carro, e só sai da casa de Naná às oito da noite.

No mesmo dia, sem Cristiane saber, seu nome está envolvido em outro ritual. Meia dúzia de travestis contratam Cigano Henrique, um místico do centro que mistura trabalhos de umbanda, quimbanda e tarô, para fazer um despacho para Cristiane. "Elas me procuraram para fazer um trabalho para Maria Mulamba." Maria Mulamba é uma Pombagira geralmente ligada à limpeza de energias negativas. Mas o que as prostitutas encomendam é o contrário. "Queriam que eu intercedesse. Que eu pedisse para ela fechar as ruas para a Cris Negão." Cigano Henrique vai ao cemitério da Consolação, o mesmo onde está enterrada Andréa de Mayo, pouco antes do horário de encerramento. O sol está se pondo, então as velas vermelhas iluminam a garrafa de champanhe e os cigarros que leva como oferenda à Pombagira. Quando chega ao Cruzeiro das Almas, um canto do cemitério usado para oferendas de religiões afro-brasileiras, Maria Mulamba vem quase que de imediato. "Ela desceu muito rápido. Desceu ali e disse que o navio de Cris Negão estava afundando. Que ninguém precisava fazer nada", diz Cigano Henrique.

É meia-noite do dia 7 de setembro de 2007. Cristiane Jordan acaba de descer do apartamento da filha, cujo cabelo trançou. Está com um vestido verde-bandeira decotado e seus dois cachorros, cada um em uma coleira, andando em direção ao carro. De lá, seu plano é ir para casa, dormir. Uma das filhas a interrompe para pagar a taxa da semana naquele momento, porque acabara de fazer um programa bom. Cristiane lhe diz: "Bicha, hoje ainda é quinta, eu só recebo dinheiro de sexta, não sabe que dá azar pegar em dinheiro nos outros dias?", e manda a prostituta passear.

Divina Nubia e uma amiga passam de carro e veem Cris descendo a rua. "Vamos parar para mexer com ela?", propõe Nubia. Dão um grito. Cris reconhece a amiga, que chama de "Minha velhinha", e grita de volta: "Onde você deixou sua dentadura, dentro do copo ou do lado da cama?". O carro segue caminho, sem saber que dali a poucos passos Cris não estaria mais em pé para brincar.

Rosana Starr está andando pelas ruas do centro, panfletando para o seu concurso Miss Transex 2007. Ouve um estalo vindo da esquina da rua Major Sertório com a Rego Freitas. Sai correndo e vê uma cena que sua memória não lhe permite esquecer. "O mundo ficou em câmera lenta. As pessoas começaram a andar em câmera lenta. O homem chegou por trás dela em câmera lenta", diz Rosana.

Um homem chega por trás de Cristiane e encosta o cano da arma na sua nuca. Na fatia de segundo entre o gelado da arma chamar sua atenção e a bala varar sua cabeça, ela ainda consegue usar seus instintos felinos para virar e tentar dar uma bolsada no assassino. Mas a trajetória da bolsa morre no meio do caminho, conforme o corpo de Cris cai no chão. Ali, Cris toma outro tiro na cabeça. Outro, só para garantir.

Cris Negão está morta. E, como esperado, sua partida não foi recebida só com choro. As pessoas que estão no bar da Elenice correm para ver o que foram os estampidos. Uma travesti grita: "O demônio empacotou!". Os alto-falantes da boate Danger, a metros do crime, anunciam: "Mataram a Cris Negão". As pessoas saem sem pagar para ver o espetáculo mórbido na calçada. Começam a pipocar fogos de artifício nos quarteirões vizinhos. "Eram as bichas comemorando a morte da Cris Negão", diz Darbi Daniel.

Rony Matos está em casa, no interior, quando o telefone toca de madrugada. À uma e pouco da manhã, ele sai da cama assustado e do outro lado da linha encontra Michelly Summer, que saiu correndo de um show na Danger para ver o corpo de Cris: "Agora você está livre". Ao receber a notícia, Rony levanta da cama e toma uma sidra, porque não tinha champanhe na geladeira.

Phedra de Córdoba está saindo de um teatro na praça Roosevelt quando Cris é assassinada. Na década de 2000, Phedra, a cubana que esnobou Jacqueline Blábláblá na boate Medieval, já é uma estrela das artes cênicas. Com setenta anos é uma das principais atrizes do grupo Satyros, uma das trupes mais premiadas da cidade. Alguém puxa Phedra e conta, em voz baixa, que Cristiane foi morta a quarteirões dali. "Eu, hein", ela joga a foulard por cima do pescoço e sai andando. A mesma pessoa pergunta se não está triste com a notícia. "Ela escolheu esse caminho. Se achava muito esperta. Mais esperta do que eu. Mas, ó! Eu estou viva, e ela está morta." Phedra anda até a sua casa, a passos de onde Jacqueline Blábláblá também foi morta a tiros, vinte anos antes.

Enquanto o centro chora e comemora a morte, uma amiga se mobiliza para dar um final digno para Cristiane Jordan. Divina Nubia recebe a notícia por telefone e corre do seu apartamento para a Santa Casa de Misericórdia. Passa pelo pronto-socorro, aberto 24 horas por dia, e caminha pelo estacionamento até entrar no mortuário. Não há ninguém ali dentro. "Fiquei com medo que alguém entrasse, perguntando o que eu estava fazendo ali", diz Nubia. Quando chega à última cabine, vê os pés de fora, com um elástico com uma etiqueta de papel-cartão presa no dedo, e a unha pintada de vermelho. "É a Cris." Divina Nubia percebe ali, chorando sozinha num cômodo da Santa Casa onde não deveria estar, que Cristiane Jordan era feita de carne, de osso e de coração, como todo humano. Que não era feita de cicatrizes, perfumes e demônios, como ela mesma propagandeou durante uma vida de 47 anos. Que a imortalidade de Cris Negão era só um mito. E que a mulher por trás do mito havia morrido.

Dois dias depois, Naná Munjirê está vestida de gala no cemitério da Vila Alpina. Traz na mão as guias de Nicky e Júnior, os cachorros de Cris. Além deles, estão no enterro Dentinho, o ex-marido de Cristiane, e uma única das suas filhas do centro.

Quando o caixão está prestes a ser baixado, o celular de Naná toca. É Silvetty Montilla, uma das drag queens mais famosas de São Paulo. Está voltando de um show no interior, e liga para avisar que não vai chegar a tempo. O aparelho toca de novo. Naná atende e cobre a boca para falar baixo. É o irmão de Cristiane Jordan, com quem ela dividiu quarto quando era criança. O mesmo irmão que a ignorou quando ela se chamava Marquesa e apareceu de surpresa na ceia de Natal da família, aos dezoito anos. A família havia recebido a notícia da morte.

"Tem alguma coisa que a gente possa fazer?", pergunta o irmão. Enquanto pensa na resposta, Naná vê o caixão de Cristiane Jordan ser içado devagar para debaixo da terra. Como se o mundo estivesse em câmera lenta de novo, como relatam as pessoas que viram seu assassinato, dias antes. Naná engole o choro e consegue falar: "Nada. Agora é tarde demais". A própria Naná havia pagado pelo enterro e por toda a burocracia que vem com a morte. Ela desliga e faz carinho na cabeça de Nicky e de Júnior, que estão sentados aos seus pés.

Uma semana depois, na igreja da Consolação, o padre pronuncia um nome que não era o de Cristiane Jordan. Seu nome de batismo, quando nasceu 47 anos antes e foi identificada como um menino cabeludo no hospital Beneficência Portuguesa. Por mais que o padre se recuse a chamar Cristiane pelo nome verdadeiro, a missa de sétimo dia é para ela. Estão lá amigas como Bianca Cereja e Thalia Bombinha e até inimigas, como Phedra de Córdoba.

Um evento bem mais concorrido aconteceu dias antes, quando a notícia da morte de Cristiane se disseminou. No dia 7 de setembro de 2007, dezenas de travestis passaram pelo apartamento dela no viaduto Major Quedinho. Cada uma escolheu e levou consigo um presente. Um *cadeau* que Cristiane Jordan havia recebido durante a vida. Centenas de bichos de pelúcia migram para novas casas. Perfumes franceses que estragaram com o passar dos anos encontram novas prateleiras de banheiros, onde só vão servir como enfeite. Bolsas de marca, as originais e as falsas, ganham novos ombros. Ninguém pede permissão, o saque parece uma correção histórica. Ninguém dá satisfação. E ninguém sabe onde foi parar um dos bens mais preciosos de Cristiane Jordan: um urso de pelúcia que tinha a pelagem toda preta e um focinho de plástico brilhante. O urso que fez companhia para ela nos anos da infância que passou trancafiada em um hotel, sendo abusada cinco, seis, dez vezes por dia, antes de ir para a rua. E conquistar a rua. E se tornar Cristiane Jordan.

10. Elvis na Prohibidu's
2021

Elvis Presley está na janela da Prohibidu's, exibindo sua guitarra de pátina cor de creme para os transeuntes. Onde um dia funcionou a boate de Andréa de Mayo, em 2021 fica um salão de festas dedicadas a fãs de Elvis, com dois totens de papelão do Rei do Rock em tamanho natural, papel de parede com a fachada de Graceland, a mansão onde o ídolo morou, e palco com karaokê. O número 253 da rua Amaral Gurgel serviu a muitos propósitos nas últimas duas décadas. Foi uma sauna gay no começo do milênio e um bar chamado Balaio de Gato, que funcionou até 2012. No meio da década de 2010, o boteco que ficava sob a Prohibidu's virou uma loja de molduras.

A cinco minutos de caminhada dali, o Palácio de Jacqueline Blábláblá é só uma lembrança. Seu terreno deu lugar ao Living Rego Freitas, um empreendimento residencial com apartamentos de 28m², área gourmet, *bike station* exclusiva, lavanderia coletiva e *rooftop solarium*, todos anunciados em inglês mesmo. Um apartamento custa 225 mil reais. O terreno onde ficava o cineteatro São José, que sediou os Bailes dos Enxutos frequentados por Jacqueline, no Rio, é ocupado por um hotel Ibis em 2021.

Puga Rebelo, o mesmo médico em cuja clínica Andréa e ao menos mais três pessoas morreram, é marcado com frequência no Instagram em 2021. Por mais que tenha sido condenado pela Justiça e tido seus direitos suspensos, e depois restituídos, ele segue com uma clientela fiel — em sua maioria de travestis, que postam fotos na clínica, de seios novos, e agradecem ao médico pelo sonho concretizado.

O vácuo de poder criado pela morte de Cristiane Jordan não tarda a ser preenchido por um corpo estranho. É véspera de Natal de 2007 quando uma travesti, de apenas quinze anos, está fazendo um dos primeiros programas da vida com uma colega próxima. Até que aparece no centro um homem baixo e forte, de cabelo cortado à moda militar. A adolescente pensa que é um cliente, e fica chateada quando ele vai falar com a sua colega, e não com ela. Mas o homem está lá para cobrar dinheiro da outra travesti.

A novata vê a outra ser morta a golpes de bastão de baseball, a metros de distância. Quando para de golpear a amiga, o homem a encara e pergunta: "E você, paga pra quem?". A adolescente não responde, só chora. "Agora você paga pra mim." O nome desse homem é Malhação. "Se eu não desse mil reais, ele ia me deformar. Tirar o meu peito, cortar o cabelo", diz uma travesti anônima de quinze anos à reportagem do *Jornal da Band*.

Segundo investigação da Polícia Federal, Malhação é o próximo rei da prostituição travesti no centro. "Ele tinha nojo de travesti. Não era que nem a Cris, ou a Andréa, que explorava, mas ao mesmo tempo protegia. Ele só explorava, tirava leite da vaca até a vaca secar e morrer", diz Britney Bird, travesti que foi cafetinada por Malhação. Além de achacar dezenas de profissionais do sexo, ele tem um esquema que vai além: traz menores de idade da Bahia, do Pará e do Piauí para São Paulo, onde recebem injeções de silicone e são exploradas como quase escravizadas.

Os métodos do novo chefão fazem as cafetinas que o precederam parecerem damas. Em 8 de agosto de 2008, perto da meia-noite, Malhação para seu Vectra preto na esquina da praça Pascoal Martins com a rua Doutor Moises Kahan, na Barra Funda.

"Cadê o meu dinheiro?", diz para uma travesti de nome Elba.

"Eu não tenho dinheiro nem pra pagar o aluguel", responde ela.

"Tudo bem, na semana que vem você paga tudo, então", responde Malhação com um sorriso.

Elba fica tão feliz que se aproxima do carro para dar um abraço no cafetão. Quando ela está a um palmo de distância, ele levanta a mão que escondia ao lado do volante e desfere um tiro na sua cara.

Segundo o Ministério Público, Malhação responde ao Primeiro Comando da Capital, o PCC, a maior organização criminosa do Brasil. Ao contrário das rainhas da noite, Malhação tem uma ficha extensa na polícia: ocultação de cadáver, tráfico de pessoas e assassinato são apenas alguns dos crimes pelos quais ele é investigado e julgado, embora não chegue a ser preso. O reinado de terror de Malhação não dura nem dois anos. Em 26 de maio de 2009, ele é localizado pela polícia em Ermelino Matarazzo, bairro pobre na zona Leste, a 26 quilômetros do centro, depois que o *Jornal da Band* veicula uma reportagem sobre seus crimes. Ele tenta fugir enquanto atira na polícia com um revólver calibre 38 reforçado. No que é descrito pela polícia como uma troca de tiros, Malhação é morto.

É o fim da era das cafetinas românticas. O poder saiu da mão das travestis. É provável que nunca mais exista uma rainha da noite. Mas alguma coisa delas ficou para trás. As memórias estão lá. As pessoas viveram essa história, por mais que as evidências físicas sejam escassas.

Em 2005, o estilista Walério Araújo encerrou a semana de moda da Casa dos Criadores com um desfile em homenagem a Andréa de Mayo. As modelos tomaram a passarela com colãs cavados de lurex. Os homens usavam camisetas estampadas com classificados eróticos. E, no fim do desfile, vinha o universo Andréa. Vestidos cheios de plumas, paetês e fendas, como os que ela usava para comandar a noite do centro, até quase perder uma perna.

Em 2012, René Guerra lançou o curta-metragem *Quem tem medo de Cris Negão?*, em que colegas, amigas e inimizades de Cristiane Jordan retraçam a vida da rainha do centro em um quarto de hora.

Na primavera de 2016, Andréa de Mayo ganhou uma homenagem póstuma. Quem entrar na rua 25, terreno 22 do cemitério da Consolação, vai ver seu nome no túmulo. A placa com o nome masculino ainda está lá. Mas uma segunda foi acoplada ao jazigo. Nela, se lê:

ANDRÉA DE MAYO
HOMENAGEM A UMA HISTÓRIA DE LUTA E DE PERSISTÊNCIA
NA GARANTIA DE DIREITOS
CELEBRAMOS A DIVERSIDADE, MEMÓRIA E VIDA
04 DE MAIO DE 1950 SÃO PAULO — SP
16 DE MAIO DE 2000 SÃO PAULO — SP

A homenagem foi feita por uma associação de travestis, com o apoio de Renato Cymbalista, professor da Faculdade de Arquitetura e Urbanismo da Universidade de São Paulo, e da administração municipal de São Paulo. Houve um segundo velório simbólico de Andréa, do qual participaram amigas das antigas, como Kaká di Polly, ativistas e alunos da USP.

Mas sua paz eterna pode estar abalada. Em 2022, assolado pela crise financeira trazida pela epidemia do coronavírus e por problemas de saúde, Pai Walter de Logunedé cogita vender o túmulo da família, que sairia por cerca de meio milhão de reais. Caso o negócio se confirme, é possível que Andréa de Mayo seja de novo expulsa, dessa vez de uma tumba onde foi acolhida por uma família de consideração.

Epílogo
2022

Kaká di Polly está desnorteada. É 13 de junho de 2022, a última segunda-feira antes da Parada do Orgulho LGBTQIAP+ de São Paulo, e um dos dias mais atribulados do seu ano. Mas ela consegue uma brecha na agenda para fazer um chocolate quente. São três e pouco da tarde quando ela está em pé, com o umbigo colado no fogão, contando do resto da semana.

"A *Vejinha* veio no domingo", diz, sem olhar para trás. "Eles vêm todo ano. E a cada ano é um estagiário novo, querem sempre saber do look da madrinha." Ela posou para um fotógrafo da revista, uma das maiores do Brasil, com o figurino que criou para o evento. Mas só topou porque a reportagem seria publicada no dia da Parada. "Não pode estragar a surpresa", ela mexe a leiteira cheia de achocolatado. "Tá babado! É evento na quarta, quinta e na sexta. Sábado eu falei 'Não, não aceito. Não vou, porque domingo tenho que acordar às seis da manhã para começar a me aprontar'".

Kaká tira a leiteira do fogo antes que ferva e serve o chocolate em um bule de louça. Vira as costas e anda pela cozinha com cuidado, como se estivesse de salto alto, e não de chinelos e bermuda esportiva. Passa desviando de Princesa, uma shih tzu com pedigree, e de Polly, uma vira-lata com genes de shih tzu e de lhasa apso.

Ela se senta, quase em câmera lenta. "É que eu tenho um ritual. Não é, assim, só chegar lá, não. Eu pego o meu energético, o meu canudinho, meu cigarrinho... Apoio tudo de lado, sento e fico olhando, olhando, olhando, até decidir o que eu quero fazer de maquiagem. É importante, não dá para errar." Ela entorna o bule em duas xícaras grandes, da mesma louça, e repete: "Não dá para errar".

A Parada é coisa séria para essa drag queen de 63 anos. Em 1997, Kaká se atirou no asfalto da avenida Paulista para que a primeira Parada do Orgulho de São Paulo pudesse rodar. Fingiu um desmaio que serviu para distrair os policiais que queriam barrar o evento, que já estava autorizado pela prefeitura. Desde então, se tornou uma lenda do ativismo — mas lendas não duram para sempre. Não foi convidada para a Parada de 2020, por mais que tenha sido um evento virtual cheio de youtubers e drag queens do TikTok, com apresentações filmadas em um estúdio e transmitidas pela internet. Kaká foi ralhar nas redes sociais. "São 45 anos dando minha cara a tapa, Silvetty Montilla tem 35 anos dando a cara a tapa. Lá, em pé naquele trio, durante anos. Cadê o convite de Silvetty Montilla? Onde foi parar o convite? Onde foi parar o nosso nome? Quem foi que lembrou de fazer uma homenagem para qualquer uma de nós?", disparou. Nos anos seguintes, a organização tornou a convidá-la. Em 2022, recebeu três convites para ir no trio elétrico oficial do evento. "Três, você acredita?"

Ela se levanta. Leva as xícaras por uma sala decorada com esculturas de marfim e imagens de orixás. Kaká se escora no corrimão para subir a escada de madeira no fim da terceira sala que atravessa, pois já não enxerga bem. Sua córnea se afinou até formar um cone, em uma doença chamada ceratocone. "Estou vendo tudo embaçado. Então, por exemplo, não dá pra dirigir à noite. Porque você está dirigindo, passa alguém na rua e você não vê e... pimba! Acaba com a vida de outra pessoa."

Ela chega ao segundo andar, que está inteiro no escuro. Kaká mora sozinha na mesma casa onde cresceu, desde que perdeu a irmã, há quase um ano, e a mãe, há cinco. Até a casa parece estar sozinha na rua, ladeada por imóveis que estão desocupados e à venda.

No escritório, a mesa está posta com caixas e mais caixas de fotografias dos seus quase cinquenta anos de carreira. Ela pega um maço de fotos e começa a folhear. Em uma, está fantasiada de vaca, com um vestido malhado de pelúcia e um aro que vai do nariz ao queixo. Ao lado dela, está um homem bigodudo com o pênis ereto de fora. Ela ri. "Sinceramente, não vou mentir, me dá muita saudade. Porque eram outros tempos." Ela mexe o achocolatado. "Era outra vida que a gente tinha. Apesar de ser o final da ditadura, aquela coisa toda e tudo ser complicado. Polícia batendo, a gente sendo levada para a delegacia, tendo que chupar pau de delegado e de guarda", ela dá um gole do achocolatado. "Mas só as mais bonitas, né? Eu nem tanto porque nunca fui bonita, mas as mais bonitas eram forçadas."

Ela pega outra foto. É Andréa de Mayo, em cima do palco do bar Rainha Vitória, com um buquê de rosas brancas no colo. Foi a última entrevista que deu na vida, na madrugada de 15 de maio de 2000. Horas depois, morreria na mesa de cirurgia. "Eu sinto muita saudade, muita." Ela acende um cigarro, e passa para o próximo montinho de fotos. Aparece Claudia Edson no começo dos anos 1990, sentada no capô de um conversível vermelho, as pernas à mostra e um brinco da Chanel balançando na orelha. "Daí eu paro assim, e falo, meu Deus, vivi isso tudo mesmo? Será que não estou louca? Será que não estou delirando? Eu juro por Deus que penso isso. Será que não é um delírio da minha cabeça? Aí vou olhar as fotos e está lá, registrado."

Kaká é um arquivo vivo. "Ninguém mais sabe de nada. Você fala da Andréa de Mayo, da Cris Negão, da Phedra de Córdoba, da Miss Biá, de tantas delas... E a novinha te olha com cara de 'Quem é essa velha?'." Mas ela tem esperança. Vê um movimento para documentar a história das antigas, como ela. E de abrir espaço para as que vieram depois. "Nós estamos chegando em filme, em teatro, em televisão, em personagem de novela, em Big Brother, em livro, em documentário e em cinema. E ainda é só uma gotinha. É como se fosse uma gotinha de silicone na bunda. E tem muita bunda pra encher", ela bate com a mão espalmada na bermuda camuflada, que esconde os sete litros de silicone inócuo que injetou durante a vida. Mas, assim como aplicar silicone com a bombadeira Suzy Bolinha, contar a história pode ser um processo traumático. "Dói tanto. E o quarto dia é pior do que o dia da injeção. Nós estamos nesse momento agora, o da dor. Todo mundo quer dizer, 'Olha, eu pus uma gota nessa bunda de silicone, que é o movimento LGBTQIA+'. E todo mundo está querendo por uma gotinha agora. Vai doer, mas vai crescer."

Kaká di Polly é uma das poucas pessoas no mundo que diz a verdade quando afirma que foi amiga de Andréa de Mayo e de Cristiane Jordan. Duas das rainhas da noite do centro. Pergunto se ela não fica aflita com um livro que vai narrar os crimes cometidos pelas duas, e também por Jacqueline Bláblábá. Ela estala a língua no céu da boca. "Quem é só bom no mundo, me fala?", pergunta Kaká, enquanto encara uma versão de si mesma trinta anos mais jovem abraçada a Cristiane Jordan. "Tira Jesus Cristo da história e me fala no mundo um homem, uma mulher que foi só bom, só bondade. Não tem." Ela acende um segundo cigarro mentolado. Puxa e solta, já com a voz grossa de fumaça. "As pessoas são tudo. Ela é boa, ela é ruim, ela é bonita, ela é feia, ela é gostosa, ela é ruim de cama. Todo mundo tem dois lados, tem duas versões. E às vezes tem três, às vezes tem quatro. Tem as versões escondidas, as perversões, porque não são só as versões, tem as perversões também."

Quando larga as fotos, Kaká olha pela janela do escritório, que dá para a rua, e se lembra de uma passagem que não está naquele monte de imagens. Aos seis anos, ela brincava no jardim quando uma desconhecida tocou a campainha. A mãe foi até o portão, e a mulher disse: "Eu queria dizer que a senhora tem que levar essa criança num centro espírita. Tem três mulheres perto dele e precisa tirar elas". A mãe, kardecista, não levou. "Minha mãe falou: 'Tenha ele o que tiver dele, veio com ele, vai ficar com ele'." Ela volta às fotos.

A primeira que aparece é de um encontro de Maria Bethânia, a cantora, com Marcela Bethânia, a transformista que a mimetizou por décadas. Maria Bethânia gostou tanto de Marcela que a convidou para uma festa na sua casa de Santo Amaro da Purificação, na Bahia, em 1986. Kaká abre um sorriso. "Eu vivo tudo, e quero viver mais ainda. É o que falei hoje na terapia: 'Quero pegar a mesma fila, não quero ir nem para a fila da direita nem para a fila da esquerda, quero ficar na fila do meio'. Quero voltar mais dez vezes na fila do meio, entendeu? Porque eu sou muito feliz, sendo o que eu sou, sim, sou muito feliz sendo Carlos Alberto, sou muito feliz sendo o Kaká, sou muito feliz sendo *a* Kaká di Polly."

Depois de uma hora revisitando memórias, ela para em uma do Carnaval carioca da década de 1990. Kaká está com uma peruca armada que é metade branca e metade preta. Seu corpo está envolto em uma boia de orca inflável que foi transformada em vestido. A cabeça do animal sai do seu ventre. Ela vira o dedo, e a foto seguinte mostra as costas de roupa. O vestido termina em formato de cauda de baleia. O decote das costas deixa seu rego inteiro de fora. Kaká começa a rir. "Nossa, eu fiz um sucesso no Rio de Janeiro com essa roupa. O que eu chupei de pau naquela Banda de Ipanema não tá escrito...", a risada evolui para uma gargalhada. O acesso de riso é tamanho que ela precisa se abanar com o maço de fotos que tem na mão. Uma brisa do passado lambe seu rosto. Ela se recompõe, tira com o dedo lágrimas que haviam se formado no canto dos olhos, e diz: "Eu passei bem, viu? Podem falar que sou gorda e caolha. Que era mais difícil do que hoje, até porque era mesmo. Mas a gente se divertiu pra caralho...".

ESTA OBRA FOI COMPOSTA POR VANESSA LIMA EM MINION E IMPRESSA
EM OFSETE PELA LIS GRÁFICA SOBRE PAPEL PÓLEN SOFT DA SUZANO S.A.
PARA A EDITORA SCHWARCZ EM NOVEMBRO DE 2022

A marca FSC® é a garantia de que a madeira utilizada na fabricação do papel deste livro provém de florestas que foram gerenciadas de maneira ambientalmente correta, socialmente justa e economicamente viável, além de outras fontes de origem controlada.